D0783863

De digitale schaduw

Dimitri Tokmetzis

De digitale schaduw

Hoe het verlies van privacy en de opkomst van digitale profielen je leven beïnvloeden

Spectrum

Uitgeverij Unieboek | Het Spectrum bv, Houten – Antwerpen

Spectrum maakt deel uit van Uitgeverij Unieboek | Het Spectrum bv
Postbus 97
3990 DB Houten

Eerste druk

Omslagontwerp: Nanja Toebak
Opmaak: Elgraphic bv, Schiedam

ISBN 978 90 00 30634 3
NUR 740

www.unieboekspectrum.nl

Voor Elias, Nadia, Rosa, Jasper, Daan, Freek en Tim, en hun digitale schaduwtjes.

Inhoudsopgave

Inleiding

Het verhaal van K.

Meten = Weten = Voorspellen = Beheersen

Marketingslogan

De zaak K.

In een halfverduisterde kamer zit een gebroken man aan tafel. Ondanks het zonnige, frisse lenteweer houdt Ron Kowsoleea (51) de gordijnen dicht. Buiten loert het gevaar. Gedurende het hele gesprek, dat drie uur duurt, vraag ik me af wanneer hij breekt. Zolang het gesprek over procedures, rechtszaken, bezwaarschriften, aanhoudingen en andere formaliteiten gaat, behoudt hij zijn grote strijdbare postuur. Hij reconstrueert gesprekken en speelt daarbij levendig de rollen van zichzelf en die van politiemensen, marechaussees, ambtenaren van justitie, KLPD'ers, advocaten en rechters. Als ik hem een paar persoonlijke vragen stel – hoe houd je dit vol, word je niet gek, hoe gaat je gezin hiermee om? – komen er barsten in dat strijdbare postuur. 'Mijn leven is verpest,' zegt hij neerslachtig. Bedrijf naar de filistijnen. Last van spanningen. 'Ik ga de deur alleen nog uit als het echt moet. Laat mij maar hier binnen zitten. Hier kunnen ze me niets maken.'

Kowsoleea gaat dan al vijftien jaar gebukt onder een ogenschijnlijk simpel probleem: hij staat verkeerd geclassificeerd in de databanken van politie en justitie. In sommige bestanden is hij een ongewenste vreemdeling. In andere staat achter zijn naam de gevarencode 02: harddrugsgebruiker. Beide hebben echter betrekking op Imro Cairo, een aan lager wal geraakte oud-klasgenoot die regelmatig delicten pleegt en daarbij Kowsoleea's naam gebruikt.

In 1994 komt de fraude voor het eerst aan het licht als Kowsoleea een oproeping van de rechtbank ontvangt wegens zwartrijden in Amsterdam. Hij kon het nooit zijn geweest en begreep er dan ook niets van. Hij gaat naar de Amsterdamse politie en die gelooft zijn verhaal. Zijn vingerafdrukken worden vergeleken met de Kowsoleea die in de politiedossiers zit, en al snel wordt Cairo als de schuldige ontmaskerd. De politie helpt goed mee de zaak recht te zetten.

De fraude lijkt een eenmalig incident, een kleine verstoring van de dagelijkse routine die al snel op de achtergrond raakt. Totdat Kowsoleea eind jaren negentig in een politiefuik bij Rotterdam rijdt en wordt gearresteerd. Hij zou een ongewenste vreemdeling zijn, terwijl hij gewoon een Nederlands paspoort heeft. Na veel bellen en overleg komt hij later die avond alsnog vrij. Hij besluit zijn dossier in te kijken en schrikt zich rot van de lange lijst misdrijven die op zijn naam staan. Hij neemt direct een advocaat in de arm om zijn dossier te laten schonen.

Dat helpt niet. In 2001 wordt Kowsoleea voor het eerst op Schiphol aangehouden. Hij staat weer geregistreerd als ongewenste vreemdeling. Datzelfde jaar komen de problemen dichter bij huis. Met groots vertoon valt de FIOD zijn woning binnen. Kowsoleea zou 700.000 gulden hebben witgewassen. De rechter spreekt hem een paar jaar later vrij van de gehele tenlastelegging. Op 23 mei 2007 stelt het Gerechtshof van Amsterdam in hoger beroep dat de 'door de ten onrechte aan de heer K. toegeschreven antecedenten de feitelijke aanhouding op een mogelijk ingrijpender wijze is verricht dan wanneer de antecedenten er niet waren geweest'. Ook de nationale ombudsman constateert later in een onderzoek dat het machtsvertoon een gevolg was van de verkeerde gevarenclassificatie. De inval zit Kowsoleea nog erg dwars. 'Mijn twee kinderen van toen zeven en dertien waren thuis. Die zijn zich rot geschrokken.' Naar eigen zeggen wordt Kowsoleea door de buurt met de nek aangekeken. Hij besluit daarop te verhuizen.

Vanaf 2007 wordt de identiteitsfraude een dagtaak. Kowsoleea heeft maar één doel: het schonen van de foutieve bestanden. Maar daar lijkt een vloek op te rusten. Het blijft onduidelijk wie precies verantwoordelijk is. De opsporingsdiensten zijn doorgaans van goede wil, ze zitten zelf ook met de identiteitsfraude in de maag. Maar als het bestand van de marechaussee is aangepast, blijkt dat een paar maanden later weer vervuild te zijn omdat de politie een foute melding heeft doorgegeven. En heeft een korps de gegevens geschoond, dan staat de fout een dag later toch weer in het systeem. Iedere 24 uur worden namelijk de systemen van alle 26 korpsen gesynchroniseerd, zodat de fout via de bestanden van andere korpsen weer terugkomt. Kowsoleea zit vast in een labyrint van databanken, netwerken en procedures. Hij komt er zonder hulp niet meer uit.

In oktober 2008 lijkt een doorbraak nabij. De nationale ombudsman heeft zich de zaak aangetrokken en komt met een vernietigend rapport. De ombudsman beveelt justitie aan snel met een oplossing te komen: het schonen van alle bestanden en een tegemoetkoming voor de geleden schade. Justitie neemt de aanbevelingen niet over en tot op heden zijn het ministerie en Kowsoleea in een juridisch geschil verwikkeld.

Het rapport van de ombudsman biedt geen tijdelijke verlichting: in de periode direct na de publicatie van het rapport wordt hij weer een aantal keren aangehouden.

Kowsoleea merkt dat hij de laatste jaren steeds vaker gecontroleerd wordt. In de buurt van Schiphol, op de snelwegen, bij de toegangswegen naar steden. Hij heeft daarom een radicale oplossing bedacht. 'Ik probeer zo veel mogelijk binnen te blijven. Je moet het lot niet tarten. Ik zeg: hier thuis kan me niets gebeuren. Als ik op straat ben, moet ik me onderwerpen aan de regels die de overheid verzint. Hier thuis gelden die van mij. Wie hier thuis komt en niet uitgenodigd is, gaat niet levend weg. Is dat achterdochtig? Nee. Het is gezond. Ik heb voor mezelf een streep getrokken. Ik val hen niet lastig. Zij moeten mij ook niet lastig vallen. Ik ga alleen nog maar in het openbaar, als het niet anders kan.'

Het is één uur 's middags. Kowsoleea heeft drie uur onafgebroken gepraat en begint te breken. 'Ik loop bij een psychiater. Ik had een verschrikkelijk mooi bedrijf. Ik heb surseance van betaling aangevraagd en sta financieel aan de rand van de afgrond. Ik krijg geld van mijn familie. Ik kan nu niet in mijn onderhoud voorzien. Ook mijn gezin heeft het moeilijk. Als iemand mij dit had verteld, dan had ik gezegd: een mooi verhaal. Je houdt het niet voor mogelijk, juist in Nederland niet.' Kowsoleea denkt er wel eens aan om de eerstvolgende politieman die hem aanhoudt, omver te rijden. 'Maar ik besef ook dat ik dan die avond niet thuiskom. Ik ben blij dat ik constant de juiste keuzes maak om geen gekke dingen te doen. Af en toe heb ik echt de neiging om ze wat aan te doen.'

Zo laat ik Kowsoleea achter. We nemen afscheid en ik stap de voorjaarszon in. Terwijl ik naar huis rijd, loop ik in gedachten het gesprek nog eens door. Op het eerste gezicht is het een interview zoals ik er de afgelopen jaren al tientallen heb gehouden. Maar er begint iets in mij te schuiven. Ik heb al die tijd iets cruciaals over het hoofd gezien.

Op dat moment, het voorjaar van 2009, was er een verhit debat over privacy, of liever gezegd het vermeende verlies daarvan. Er was groot verzet tegen het rekeningrijden (Big Brother-kastje in de auto), de ov-chipkaart, het Elektronisch Kind- en Patiëntendossier, de Verwijsindex Risicojongeren, de uitbreiding van bevoegdheden van opsporings- en veiligheidsdiensten onder het mom van terrorismebestrijding, de uitbreiding van cameratoezicht. Deze systemen en maatregelen zouden onze privacy schaden, waarschuwden juristen, bestuurskundigen en techneuten in de media en in alarmerende rapporten. Als het zo door zou gaan, was de controle- of de surveillancestaat binnenkort een feit. Ik wilde weten hoe en waarom onze privacy werd uitgehold en wat dat voor ons als individu en voor onze samenleving zou betekenen. Met andere woorden, hoe zagen de controle- en surveillancestaat eruit en door wat voor burgers werd hij bevolkt?

Ik kwam er al snel achter dat privacy een ongrijpbaar en diffuus begrip is. Privacy lijkt een paraplubegrip waaronder we, vaak gevoelsmatig, verschillende rechten laten vallen: het recht om met rust gelaten te worden, het recht je huis, je intieme relaties en privéleven af te schermen van anderen, het recht om bepaalde zaken voor anderen geheim te houden, het recht om controle uit te oefenen over je persoonlijke informatie en het recht om je waardigheid, individualiteit en persoonlijkheid te verdedigen. De uitwerking van deze rechten is dubbelzinnig. Privacy geeft ruimte om min of meer ongezien je karakter te ontwikkelen, een aanslag op een drukke forensentrein te beramen, de laatste Kluun te lezen, te masturberen, je financiële administratie bij te werken, een vlammende liefdesbrief te schrijven of je kind een pak rammel te geven. Privacy kan het goede en persoonlijke beschermen, maar ook het kwade en onverantwoordelijke maskeren. Hoe moet je in deze gevallen een goede afweging maken tussen het belang van privacy en de andere belangen die in het geding zijn, zoals veiligheid of kinderbescherming? Privacy is bij alle problemen in het geding, maar beschrijft verschillende problemen in verschillende omstandigheden en contexten. Het is dan ook lastig om verlies van privacy direct te koppelen aan het verlies van vrijheid en individuele autonomie, zoals dat vaak wordt voorgesteld.

Het viel me ook op dat het verzet tegen privacyinbreuken vaak technofobische trekken heeft. Dat verzet richt zich tegen het registreren, opslaan en verwerken van persoonsgegevens, bijvoorbeeld in elektronische dossiers. Maar het gebruik van persoonsgegevens is onontkoombaar en, sterker nog, vaak juist gewenst. Informatie over mensen is de grondstof geworden die maatschappelijke raderen in beweging zet en draaiend houdt. In vrijwel alle maatschappelijke en commerciële processen speelt informatie een sleutelrol. Wie persoonlijk bediend wil worden door overheden en bedrijven, zal zichzelf tot op zekere hoogte prijs moeten geven. Veel technologie bevat de belofte dat we sneller, persoonlijker en meer betrouwbaar worden geholpen. Het is toch wel prettig als je niet bij iedere arts opnieuw je verhaal hoeft te doen en al je persoonsgegevens opnieuw hoeft te verstrekken. Het is fijn als sommige websites je herkennen, zodat je verder kunt met waar je de vorige keer was gebleven. Het is reuze handig dat je met je smartphone de weg kunt vinden in een vreemde stad, maar Google moet dan wel weten waar je je bevindt. De burger en klant kunnen profiteren van lagere prijzen en betere, flexibelere en gepersonaliseerde dienstverlening. Het heeft weinig zin om techniek an sich de schuld van privacyinbreuken te geven. Het Elektronisch Patientendossier zelf is geen bedreiging, de manier waarop het is ingericht wel. Het is zinvoller om te kijken naar de context waarin techniek tot stand komt en hoe techniek in de ingewikkelde en dynamische praktijk wordt toegepast.

Tot slot viel het me op dat de discussie over privacy zich meestal beperkt over *wat* er wordt opgeslagen, dus over welke gegevens uiteindelijk in databases belanden. Dat is een belangrijke discussie, maar er is weinig aandacht voor wat er vervolgens met die opgeslagen informatie gebeurt, hoe die gegevens worden gebruikt. Steeds meer binnensteden worden uitgerust met toezichtcamera's. Daar is verzet tegen. Maar waarom zijn die camera's zo erg? Gebeurt er iets met de beelden wat schadelijk is voor ons democratisch bestel, onze persoonlijke vrijheid of iets anders? Op zich worden beelden vaak niet eens bewaard en zo wel, dan vaak kort. Waar moeten we nu precies bang voor zijn? Toch is er wel degelijk meer aan de hand. Je kunt camerabeelden niet alleen bewaren, maar ook analyseren, combineren, verrijken. Wat er met die beelden gebeurt, is veel belangrijker dan het feit dát ze worden opgeslagen. Dat geldt ook voor andere logische, praktische en nuttige systemen, zo blijkt uit dit boek.

Ook over het *waarom* wordt weinig gesproken. Waarom worden al die grootschalige informatiesystemen opgezet? Waarom moeten we onze vingerafdrukken op steeds meer plekken achterlaten? We zouden langzaam aan in een controlestaat terechtkomen. Waarom wil de overheid ons, merendeels toch brave en nette burgers, controleren? Deze gedachtegang veronderstelt ook dat de overheid vooral een repressief beleid voert om burgers in het gareel te houden. Daar waar over privacy wordt gesproken, vallen vaak ook al snel de woorden Big Brother. Dit is een krachtige en soms bruikbare metafoor, maar hij beschrijft niet de praktijk. Sterker nog, vaak is hij contraproductief. De Big Brother-metafoor verpest de discussie, want hij schrijft beweegredenen toe aan overheden en bedrijven die er vaak niet zijn. Maar voor een groot deel heeft 'de overheid' juist vaak het beste met ons voor en reageert zij op onze eigen tegenstrijdige wensen.

Mijn belangrijkste bezwaar tegen de huidige privacydiscussie is dan ook dat daarin de opvatting ontbreekt dat er een alternatief verhaal te vertellen is. En ik vond de woorden voor dat verhaal nadat ik Kowsoleea had gesproken. Kowsoleea heeft niets te verbergen. Kowsoleea wordt niet gehinderd door een almachtige overheid, de overheid is juist te versplinterd om goede actie te ondernemen. Kowsoleea heeft niet te vrezen van de slechte bedoelingen van overheidsdienaren. Die zitten immers ook met de kwestie in de maag – al zou het ministerie van Justitie wel eens een paar stappen extra mogen doen. Het heeft er eerder de schijn van dat ook veel overheidsdiensten onmachtig zijn: de informatierevolutie is hun boven het hoofd gegroeid.

Kowsoleea heeft echter één allesoverheersend probleem: hij heeft een fout risicoprofiel. In de systemen staat hij bekend als een harddrugsgebruiker, dealer, vuurwapengevaarlijk en ongewenste vreemdeling. Dat profiel zorgt ervoor dat beambten hem met voorzichtigheid, stress en argwaan benaderen, want ze laten hun handelen leiden door dat profiel. Beambten zien niet Kowsoleea, een persoon zoals jij en ik met een complexe identiteit. Ze zien Kowsoleea, een type, een categorie.

Kowsoleea's verhaal is extreem, maar niet uitzonderlijk. Wij slepen allemaal tientallen profielen achter ons aan, die ons als een digitale schaduw achtervolgen. Een schaduw die we zelf vaak niet waarnemen. Iedereen heeft een tweede identiteit opgebouwd, een extra zelf die in het digitale domein huist. Dit is geen zelf die een duidelijk omlijnd geheel vormt, ondeelbaar is, een individu. Het is een zelf waarvan de delen in kleine stukjes verspreid liggen in tientallen, zo niet honderden en straks duizenden databases van overheden, instituties en bedrijven. Overal liggen kleine beetjes informatie die iets over ons vertellen, die iets vertellen over wie we zijn, wat we doen, waar we ons begeven en met wie we ons omringen. Overheden en bedrijven werken vaak met grote hoeveelheden klanten en burgers, en beschikken over ongelooflijk veel van dit soort informatie. Die informatie gebruiken ze in toenemende maten om profielen uit samen te stellen.

Profielen zijn waarschijnlijk al zo oud als de mensheid. Het zit in onze natuur om onszelf en anderen in hokjes te plaatsen, om op basis van gedeelde eigenschappen – taal, uiterlijk, cultuur, afkomst, vrijetijdsbesteding – een verzameling individuen als groep te benoemen. Meestal gebeurt dat gevoelsmatig op basis van snelle indrukken en ervaring. Het in hokjes plaatsen van mensen en het daaraan toeschrijven van eigenschappen is vaak niet bepaald objectief. Door de informatierevolutie hebben we een efficiënt gereedschap ontwikkelt dat deze sociaal-psychologische functie voor ons geautomatiseerd uitvoert: *datamining*.

Met datamining doorzoek je grote hoeveelheden verschillende gegevens op onderlinge verbanden. Vaak bevestigt datamining wat iemand met een beetje mensenkennis al weet. Als je een gegevensset hebt met autovoorkeuren en stemgedrag, vind je waarschijnlijk dat GroenLinks-stemmers vaker in een Toyota Primus rijden en PVV-stemmers vaker in een Opel. Als je een gegevensset hebt met opleidingsniveau en vrijetijdsbesteding, vind je waarschijnlijk dat laagopgeleiden vaker een voorkeur voor voetbal hebben dan hoogopgeleiden, die op zaterdag vaker op het hockeyveld staan. Met datamining kan men dit soort verbanden op grote schaal en vaak in korte tijd vinden, nuanceren of bevestigen. Daarbij wordt het bestaan van oude groepen ogenschijnlijk objectief bevestigd en worden nieuwe groepen gecreëerd. Op basis van koopgedrag wordt een consument bijvoorbeeld bestempeld als 'stedelijke levensgenieter'. Op basis van reis- en internetgedrag wordt een Nederlands-Marokkaanse jongeman ingedeeld bij 'mogelijk geradicaliseerde jongere'. Op basis van woonomgeving en financiële situatie wordt een gezin bestempeld als 'risicogezin'.

Uit deze profielbenamingen spreekt ook al een verwachting. Profielen zeggen uitdrukkelijk niet alleen iets over de huidige situatie van een individu, maar doen vaak ook een toekomstvoorspelling. Een stedelijke levensgenieter zal waarschijnlijk wel geïnteresseerd zijn in een nieuw, grensverleggend cultureel festival. Een potentiële geradicaliseerde jongere zal vermoedelijk eerder overgaan tot een gewelddadige actie dan een Friese jonge knul die van zeilen houdt. De kans dat er klappen vallen in een risicogezin is groter dan dat er mishandeling plaatsvindt in een stabiel gezien waar beide ouders werken, maar wel een papa- en mamadag kunnen opnemen. De voorzichtige omschrijvingen – zal waarschijnlijk, vermoedelijk, de kans is groter dat – geven al aan dat profielen vooral ook een kwestie zijn van kansberekening. Er zijn verbanden gevonden, individuen zijn in een al dan niet nieuwe groep ondergebracht, maar de groep is geen duidelijk afgebakende constructie: mensen lijken op elkaar, maar blijven een individu met hun eigen omstandigheden, afwegingen, levens.

In dit boek zal ik aantonen dat we steeds vaker worden behandeld op basis van een profiel, dat profielen steeds meer leidend worden in de omgang tussen overheden en bedrijven enerzijds en burgers en consumenten anderzijds. Die profielen bepalen namelijk hoe overheden en bedrijven met ons omgaan, welke beslissingen ze over ons nemen. Ze bepalen bijvoorbeeld in toenemende mate of we extra in de gaten gehouden worden door een controlerende instantie. Of we ergens wel of niet mogen komen. Of we ons kunnen verzekeren en tegen welke voorwaarden. Of we extra hulp krijgen, desnoods 'bemoeizorg'. Of en tegen welke prijs we commerciële diensten kunnen afnemen. Profielen worden gebruikt om efficiënt mensen te sorteren.

De reden hiervoor is de sterke wens tot beheersing, het management van alles. We verdragen risico's minder en minder. De marges voor ongeluk worden kleiner. Verlies moet voorkomen worden. Processen efficiënt ingericht. Logistieke ketens optimaal op elkaar afgesteld. *Targets* gehaald. Door gebruik te maken van voorspellende profielen kunnen overheden en bedrijven sturen voordat de schade is aangericht, de bom tot ontploffing is gebracht of de klant al tot verlies heeft geleid. Probleemgezinnen worden extra in de gaten gehouden zodat er geen dodelijke gezinsdrama's meer plaatsvinden. Mogelijke winkeldieven worden geweerd, toekomstige dure patiënten door verzekeraars geweigerd en verliesgevende klanten weggepest en winstgevende klanten gepamperd. Profielen zijn daarom meestal risicoprofielen – ze zeggen vaak iets over de kans op de schade die en het verlies dat iemand kan veroorzaken. Dat gebruikgemaakt wordt van al dan niet voorspellende profielen lijkt zo logisch dat we er nauwelijks bij stilstaan. Het is een door en door menselijke eigenschap om andere mensen in te willen delen in hokjes, groepen, stammen.

Maar profileren is niet ongevaarlijk en probleemloos. We weten vaak niet in welk hokje we zitten, of anders gezegd, welke profielen op ons van toepassing zijn. We weten niet waarom een bepaald profiel zou gelden. Op basis van welke informatie besluit een telefoonmaatschappij ineens dat ik niet kredietwaardig ben? We kunnen er niet altijd op vertrouwen dat onze persoonlijke informatie, het basismateriaal voor deze profielen, zorgvuldig, veilig en eerlijk wordt gebruikt. We hebben vaak ook geen flauw idee welke informatie wordt gebruikt, want die informatie is ontzettend vluchtig geworden. In een genetwerkte samenleving wordt informatie achtergelaten op punt A en komt later ineens bovendrijven bij punt G en X. En we weten vaak ook niet of de profielen gestoeld zijn op juiste aannames en inzichten. Wie bepaalt eigenlijk wat een risicogezin is? Wat zegt een gevarenclassificatie 02 nu echt over Kowsoleea?

In het maatschappelijk debat wordt er echter nauwelijks over datamining en (risico)profielen gesproken. Ik vind het daarom belangrijk om in dit boek eerst een beeld te schetsen van de informatiesamenleving, de enorme veranderingen die de laatste decennia hebben plaatsgevonden en de al veel toegepaste praktijk van het profileren. Ik hanteer daarbij een indeling die ik heb ontleend aan een marketingslogan die – in tegenstelling tot veel marketingpraatjes – een harde waarheid bevat: *meten = weten = voorspellen = beheersen.*

Hoofdstuk 1 gaat daarom over surveillance. Niet alleen wordt er steeds meer gezien, maar er is ook steeds meer om waar te nemen. Maar wie denkt dat er een alziende Big Brother gluurt, heeft het mis: surveillance geschiedt door iedereen en vrijwel alles wordt gezien. Hoofdstuk 2 vertelt wat er daadwerkelijk wordt opgeslagen. Hoe zit het me al die databases? Wat betekent het om bestanden te koppelen, informatie te verrijken? Wordt er eigenlijk nog wel informatie weggegooid? En waarom zijn papieren dossiers zo wezenlijk anders dan elektronische? Oftewel, hoe ziet onze digitale schaduw eruit? Hoofdstuk 3 gaat over het profileren. Het zal blijken dat we niet alleen een historisch spoor achterlaten en in het heden bekeken worden, maar dat overheidsinstellingen en bedrijven in toenemende mate onze toekomst proberen te voorspellen. En dat ze daarnaar handelen. Het vierde hoofdstuk gaat over het waarom. Waarom willen we al deze informatie hebben? Wat is de drijfveer van die verzamel-, verrijkings- en voorspellingsdrift? Dit hoofdstuk zal een heldere rode draad bevatten: angst voor verlies.

In het tweede deel van dit boek wil laten zien hoe dit profileren in de praktijk uitwerkt en een aantal maatschappelijke discussies vanuit het alternatieve perspectief beschouwen. Hoe pakt al dat meten, opslaan, analyseren, verrijken en delen van en voorspellen met informatie in het dagelijks leven uit?

Als we ergens bang voor zijn, is het voor ongeluk van onze kinderen. In hoofdstuk 5 zien we hoe we de toekomst van de kinderen proberen bij te stellen en wat de valkuilen daarvan zijn. Ieder kind sleept al meerdere elektronische dossiers met zich mee. Wat staat daar eigenlijk in? In hoofdstuk 6 neem ik de gezondheidszorg onder de loep. De datavloed zet de solidariteit onder druk. Als je weet wie wat kost en hoe mensen aan hun eigen ongezondheid bijdragen, waarom zou je dan nog voor elkaar willen betalen? Kun je je straks nog wel goed verzekeren? Hoofdstuk 7 gaat over mobiliteit. Vrij reizen is een belangrijk recht, maar steeds minder vanzelfsprekend. Hoe vrij je kunt reizen, hangt steeds meer af hoe je digitale schaduw eruitziet. Voor sommige mensen is het nog nooit zo makkelijk geweest om zich te verplaatsen. Voor anderen worden er alleen maar meer barrières opgeworpen. Hoofdstuk 8 gaat over onze leefomgeving. Of je een handhavingsteam over de vloer krijg, of op straat gefouilleerd wordt, hangt af van waar je woont, niet van wie je bent. Hoofdstuk 9 wordt een lang hoofdstuk, want daarin neem ik de commercie onder de loep. Ben je wel een goede consument? En belangrijker nog: denken bedrijven dat je wel een goede consument bent? En ben je een goede werknemer? Gaan er straks alarmbellen af als je te gestresst bent? In hoofdstuk tien kijk ik hoe de baas over je schouder kijkt op de werkvloer.

Dit boek draagt geen vrolijke boodschap uit, maar eindigt optimistisch (Conclusie). De maatschappij waarin we leven is dynamisch als nooit tevoren. Technieken die mensen in hun levenswandel beknotten en beperken, kunnen ook ingezet worden om ons op individueel niveau te ontplooien en juist te versterken. Om die belofte in te vullen, moeten we boven alles ons digitale lot weer in handen nemen. We moeten informatiemanagers worden van ons eigen leven. Als dat lukt, kunnen we wel degelijk gedijen in de spannende tijd die komen gaat.

1

De alomaanwezige blik

Surveillance is about seeing things and, more particularly, seeing people. But paradoxically, people are not what most surveillance sees today.

David Lyon.

Neuspeuteren

Drie Nederlands-Marokkaanse jongens roken een sigaretje voor de ingang van de kapper in winkelcentrum Vasco da Gama in Utrecht. Een van hen heeft een witte trui aan. Zijn ogen schuilen in de schaduw van een capuchon. De jongen leunt nonchalant tegen de witte paal van het afdak. Hij kletst met zijn maten, gaat rechtop staan, rekt zich loom uit en krabt wat aan zijn neus. Waarschijnlijk heeft hij niet door dat beveiliger Harel Tieks hem al een paar minuten bekijkt. Wie draagt er nu een capuchon op een mooie dag als deze? Dan móét je wel iets te verbergen hebben, zegt hij met een stevig Utrechts accent. Als er een paar minuten later nog niets is gebeurd, verliest Tieks zijn interesse en schakelt hij door naar een ander camerabeeld, in de wetenschap dat het tafereel op de harde schijf is weggeschreven.

Tieks zit een kilometer verderop in de 'uitkijkruimte' in winkelcentrum Kanaleneiland. Vanuit zijn comfortabele bureaustoel houdt hij toezicht op alle westelijke wijken van

Utrecht. Op dertig schermen lopen, fietsen en rijden mensen. Shoppers zeulen met zware boodschappentassen of staan stil voor een praatje. Chauffeurs laden vracht uit. Jongeren hangen verveeld tegen een bankje. Tieks speelt met de beelden als een regisseur. Op een extra groot scherm ziet hij een Google-kaart van Utrecht. Verspreid over 22 gebiedjes staan 140 cameraposities aangegeven. Als in een van de winkels het overval- of burenalarm afgaat (als er problemen dreigen), zwenkt de camera automatisch naar de betreffende voordeur en begint met opnemen. Op andere momenten stuurt Tieks met een joystick de camera's handmatig naar interessante of verdachte taferelen. Ondertussen speurt hij naar gezochte verdachten, vaak Marokkaanse tieners uit de buurt. Als hij die ergens spot, wordt de politie meteen gebeld. Ook houdt hij extra toezicht op winkelcentrum Kanaleneiland, waar in het verleden erg veel overlast was van hangjongeren. Ze hebben een lijst met foto's van jongens met een toegangsverbod. Als er eentje toch probeert binnen te komen, wordt de beveiliging eropaf gestuurd. Verdachte beelden worden 'doorgezet' naar de politiemeldkamer. Wat verdacht is, hangt af van het gebied. In sommige stadsdelen geldt een *zero tolerance*-beleid: als iemand al een blikje op straat gooit, wordt de politie ingeseind.

De beelden worden live uitgekeken. Overdag van de winkelgebieden, 's avonds en 's nachts van de bedrijventerreinen. 'Het is best lastig om mensen goed te coachen in het uitkijken,' zegt Frits Neigh van Lier, directeur van Prins Adviesgroep, die het camerasysteem heeft opgezet. 'Dat heeft te maken met over- en onderbelasting. Soms gebeurt er te veel, maar vaak ook te weinig.' Nieuwe techniek moet uitkomst bieden. Camera's nemen alleen op als de sensoren geluid of beweging waarnemen, al werken die volgens Neigh van Lier nog niet naar behoren. 'Er beweegt gewoon te veel, dus daar word je helemaal gek van.' Van iedere auto die de bedrijventerreinen op rijdt, wordt het kenteken geregistreerd. Voor de zekerheid. Tevens loopt een proef met agressiedetectie bij het sporthallencomplex De Vechtsebanen, waar 's winters wordt geschaatst en de rest van het jaar gefeest. 'Als er geschreeuwd wordt, slaat de camera aan. Het gaat om afwijkend geluid. De producent beweert dat als er geen boosheid achter zit, dat de camera dan uit blijft, maar dat geloof ik nog niet zo.' In de binnenstad heeft al een proef gelopen voor gezichtsherkenning bij zes winkels. 'Zodra iemand met een winkelverbod binnenkomt, kun je hem automatisch detecteren.'

Een kamer verderop zit technisch adviseur Paul Koot achter zijn bureau. Hij is een grote man die op meerdere computers tegelijk werkt. Over de mogelijkheden van de techniek is hij optimistischer dan Neigh van Lier. In zijn vrije tijd werkt Koot aan een vernieuwend project, dat volgens hem heel geschikt kan zijn voor Kanaleneiland. Hij schrijft software om profielen te maken van het verplaatsingsgedrag van auto's. 'Het idee is om een kentekenbestand aan te leggen, het liefst zo anoniem mogelijk. Per kenteken maakt de software een rijprofiel. Waar is een auto meestal? Welke weg wordt doorgaans genomen? Als een auto ineens heel ergens anders opduikt, op een plek die niet in het profiel past, zou dat een reden kunnen zijn om extra controle uit te oefenen, bijvoorbeeld door een camera te laten meedraaien.' Hij ziet wel wat in het idee van strafpunten. Een afwijking van het profiel levert strafpunten op. Een drempelwaarde bepaalt of een beeld groen, oranje of rood is. Groen: de automobilist rijdt keurig volgens het profiel. Oranje is iets verdachter. Als het rood is, wijkt het zoveel af van het normale, dat er naar gekeken moet worden. Idealiter is het controlegebied zo groot mogelijk. 'Maar je moet wel reëel zijn. In hoeverre is het mogelijk om gegevens uit Rotterdam in te zetten in Utrecht?'

Zowel Tieks als Koot doet aan surveillance. Tieks kijkt naar echte beelden, ziet hoe bepaalde mensen zich gedragen en doet daar vervolgens iets mee. Dat is hoe de meesten van ons surveillance zien en ervaren, als een interactie tussen de kijker en degene die bekeken wordt, een zintuiglijke ervaring. Koot kijkt echter ook naar gedrag, maar bij hem zitten daar een paar stappen tussen, namelijk de registratie van een kenteken, de verwerking daarvan door middel van een algoritme en een geautomatiseerde waarschuwing als er iets mis lijkt te zijn. Surveillance is dus meer dan alleen maar kijken.

De Canadese socioloog en 'surveillancespecialist' David Lyon ziet surveillance als gerichte, systematische en terugkerende aandacht voor persoonlijke details met als doel beïnvloeding, management, bescherming of sturing. Het lichaam, gedrag en de communicatie van individuen, of persoonlijke gegevens die daar betrekking op hebben, zoals namen, nummers en andere data, worden gezien op een bepaalde plek en op een bepaald tijdstip. Surveillance is een terugkerend, algemeen en uiterst normaal verschijnsel dat in alle moderne samenlevingen voorkomt. Sterker nog, de moderne samenleving zou volgens hem zonder surveillance niet mogelijk zijn.

Kijken en bekeken worden

Surveillance is zo oud als de mensheid zelf. Als sociale diersoort hebben we elkaar altijd al in de gaten gehouden. In premoderne tijden vond dat zien op lokaal niveau plaats, binnen kleine overzichtelijke gemeenschappen. De ene mens hield letterlijk de andere mensen in zijn blikveld in de gaten. Surveillance geschiedde dus *face to face* en in het hier en nu. De middelen om anderen in het oog te houden waren beperkt. Als sprake was van fysieke afstand, moest een ander persoon intermediair zijn. De landheer liet zijn horigen in de gaten houden door een opzichter. Ambachtslieden hielden direct toezicht op hun knechten via een voorman. En voor de gewone man was er het roddelcircuit. Daarnaast voelden mensen zich continu bekeken door God. Die zag alles. Menig katholieke puber heeft netjes met zijn handen boven de dekens geslapen. Toezicht disciplineert blijkbaar.

Met de opkomst van grote steden en de staat kwam hier een surveillancelaag bovenop. Ambtenaren moesten weten hoeveel belastinggeld ze konden innen en welke jongemannen geschikt waren om in het leger van de koning te vechten. Ambtenaren moesten dus weten waar burgers zich bevonden en wat ze bezaten. Het werd belangrijk om te weten wie geboren werd, wie er doodging en wie waar naartoe verhuisde. Niet alleen het hier en nu was van belang, maar het hele grondgebied van de staat. Naarmate de staat meer taken kreeg en bureaucratieën groeiden, werd ook het verleden van mensen van belang. Nieuwe methoden van surveillance waren nodig, zoals volkstellingen, registraties, dossiervorming, identificatie van burgers en niet-burgers, classificatie en archivering. Deze rationalisering drong ook door tot bureaucratieën buiten de staat. Ziekenhuizen, scholen, gevangenissen, armenhuizen, kerken en bedrijven werkten in toenemende mate volgens moderne surveillancemethoden waarbij patiënten, leerlingen, gevangenen, armen, gelovigen en werknemers over langere tijd gevolgd werden. Informatie in de vorm van persoonlijke gegevens werd belangrijk en ontsloot steeds meer mogelijkheden voor verder management. De beroemde socioloog en invloedrijk denker over moderniteit en rationaliteit Max Weber zag eind negentiende eeuw al niet voor niets de neiging bij bureaucratieën om meer informatie te verzamelen dan strikt noodzakelijk was.

Inmiddels begeven we ons in nieuwe tijden en is er naast de face to face en bureaucratische surveillance een nieuwe laag in opbouw. Die laag is mogelijk door de opkomst van de computer en de digitalisering van... nou ja, zo'n beetje van alles. Surveillance is indringender aanwezig en mobiel van aard. Als mensen zich verplaatsen, wordt die reisbeweging steeds vaker gezien, of liever gezegd, geregistreerd. Er wordt ook steeds meer over nationale grenzen gekeken. Wie naar Nederland reist, moet zich in sommige (vooral arme) landen eerst aan een uitgebreide inspectie onderwerpen in een Nederlandse ambassade of consulaat. Amerikaanse veiligheidsdiensten kijken in Europese databanken mee. De digitalisering leidt ook tot het bijeenbrengen van waarnemingen. Verschillende surveillancepraktijken vallen tegenwoordig samen. Een camera ziet je op straat lopen. Je telefoon geeft een signaal af die je locatie opslaat in de databank van de telefoonmaatschappij. De politie kan steeds makkelijker die op zichzelf staande surveillance-informatie combineren. Kortom: surveillance geschiedt over netwerken. En surveillance zoomt nog meer in op het individu en zijn lichaam. Gedrag en lichaamseigenschappen zoals vingerafdrukken, gelaatsopbouw en stem worden ook steeds vaker indringend bekeken en gebruikt om al dan niet toegang te verlenen tot een plek of dienst. Tot slot richt de hedendaagse surveillance zich niet alleen op verleden en heden, maar nadrukkelijk ook op de toekomst. Maar over dat laatste straks nog veel meer.

Het onderscheid van premoderne, moderne en hedendaagse surveillance is natuurlijk kunstmatig. De werkelijkheid is lastiger. In de praktijk lopen deze vormen van surveillance in elkaar over, versterken elkaar, lijken ze op elkaar en hebben ze op verschillende plekken een verschillende uitingsvorm. Wie zich aan het gemeenteloket meldt voor een nieuw paspoort, heeft bijvoorbeeld met meerdere vormen van surveillance te maken. De ambtenaar kijkt of je lijkt op de persoon die op de pasfoto staat. Hij kijkt of de gemeente je al als inwoner kent. En hij kan een bestand raadplegen, waarvan de server zich heel ergens anders kan bevinden, of de overheid je misschien kent als identiteitsfraudeur. Daarnaast ligt de nadruk in deze opsomming nog te veel op de relatie tussen overheid en burger. In werkelijkheid doet iedereen aan surveillance en zijn er verschillende vormen te onderscheiden: panoptische surveillance, *dataveillance*, synoptische surveillance, *sousveillance* en, wellicht de meest interessante, *zelfveillance*.

Big Brother

Een bekend voorbeeld van panoptische surveillance is George Orwell's dystopie *1984*. Alle partijleden staan onder continu toezicht van het 'telescherm'. Controleurs kunnen op afstand ongezien en op ieder moment meekijken wat iemand doet in huis of op kantoor, op straat of in bad, in de kantine of het buurthuis. Onduidelijk is echter of de controleurs daadwerkelijk controleren. Winston Smith, de antiheld van het boek, beschrijft de onzekerheid die het continue toezicht met zich meebrengt:

> *'It was terribly dangerous to let your thoughts wander when you were in any public place or within range of a telescreen. The smallest thing could give you away. A nervous tic or an unconscious look of anxiety, a habit of muttering to yourself – anything that carried with it the*

suggestion of abnormality, of having something to hide. In any case, to wear an improper expression on your face (to look incredulous when a victory was announced, for example) was in itself a punishable offence. There was even a word for it in Newspeak: facecrime, it was called.'

Panoptische surveillance betekent dat weinigen velen in de gaten houden. Zoals bij cameratoezicht. Het toezicht is gecentraliseerd en vindt plaats in één richting: de bekekenen kunnen niet terugkijken. De *panopticon* verwijst naar een laatachttiende-eeuwse vondst van de Engelse filosoof Jeremy Bentham. Hij zocht een manier om met weinig bewaking veel gevangenen in het gareel te houden. Hij ontwierp een koepelgevangenis, waar de gevangenissen van Haarlem en Breda naar gemodelleerd zijn. De cellen bevinden zich aan de buitenste rand. De bewaking kan vanuit een toren in het midden van de koepel zien wat er aan de binnenkant van de cellen plaatsvindt. De wachttoren is zo geconstrueerd dat van buitenaf niet naar binnen gekeken kan worden. Gevangen weten dus dat ze continu geobserveerd *kunnen* worden, maar niet *wanneer* dat gebeurt.

In de jaren zeventig verwoordde de Franse filosoof Michel Foucault een sociale theorie over de panopticon. Volgens hem ontstaat in deze opstelling een onevenwichtige machtsverhouding tussen gevangene en bewaker. Het gevolg is dat de gevangene het 'toezicht internaliseert', of anders gezegd, de gevangene past zijn gedrag aan aan wat hij denkt dat de toezichthouder van hem verwacht – hoewel die toezichthouder er dus helemaal niet hoeft te zijn. Volgens Foucault is de panopticon een 'politieke technologie' die gebruikt kan worden om allerlei groepen te disciplineren: psychisch gestoorden, werknemers, schoolkinderen. Het is precies dit idee, eigenlijk het idee van Big Brother, dat zich in ons collectief geheugen heeft vastgenageld. Dit idee komt vaak ook als eerste naar voren als we denken over de surveillancestaat. Wij burgers worden in de gaten gehouden door hen, de kijkers. En wij burgers gaan ons daarom anders, minder vrij gedragen.

Toch is dit schrikbeeld, deze panopticon, geen bruikbare metafoor om de huidige surveillancepraktijk te beschrijven. De disciplinerende werking lijkt gering, tenminste als we kijken naar cameratoezicht. Er zijn geen studies te vinden die een positief effect van cameratoezicht op de veiligheid aantonen. Wie op zaterdagavond door de binnenstad van een grote gemeente loopt, ziet prima hoe men zich door al die camera's laat disciplineren: niet. Belangrijker nog is dat het disciplinerende succes een centraal gezag veronderstelt dat binnen een afgebakende omgeving van een staat of instituut surveilleert. Het disciplinerende succes vinden we bijvoorbeeld wel binnen de hekken van een totalitaire dictatuur met omvangrijke en alomaanwezige geheime diensten. Ook lijkt ze te werken binnen de muren van de gevangenis, school of fabriek. Denk aan de fabrieksbaas van vroeger die de hele dag in zijn glazen hok in het midden van de werkvloer het personeel in de gaten hield. In deze gesloten gemeenschappen zijn de gezagsverhoudingen en de verantwoordelijkheden helder. De regels ook. Normen staan niet in het openbaar ter discussie. Maar deze wereld, voor zover die ooit in zo'n zuivere vorm bestaan heeft, is niet meer de onze. Een andere vorm van diepgaande surveillance is wel hypermodern: *dataveillance.*

Cookies en poortjes

De *Wall Street Journal* ontdekte in 2010 dat de vijftig grootste websites in de Verenigde Staten elk gemiddeld 64 cookies op de computer van de bezoeker plantten. Deze softwarebestandjes houden onder andere bij welke websites je bezoekt. Maar de krant vond steeds vaker cookies die ook registreren wat je op een site doet, en die informatie analyseren om je inkomen, locatie, productvoorkeuren en zelfs eventuele medische problemen in te schatten. Zelfs de locatie van je muisaanwijzer werd genoteerd. De bezoekers werden hiervoor niet gewaarschuwd. Alle informatie die deze onwisbare cookies verzamelden, werd teruggestuurd naar de website-eigenaar, een adverteerder of een informatiemakelaar die complete dossiers van gebruikers verhandelt (uw gegevens leveren ongeveer een tiende cent op). Er zijn ook andere manieren om jouw online gedrag te onderscheppen. Eind 2011 bleek dat op honderden miljoenen smartphones een diep verborgen programmaatje CarrierIT draaide, dat alles registreerde: de inhoud van sms'jes, alle toetsaanslagen, welke apps werden gebruikt, enzovoort.

Met de onstuimige groei van de digitale wereld nemen ook de mogelijkheden van surveillance toe. Immers alles in de digitale wereld wordt per definitie geregistreerd. Overal duiken sensoren op die gedragingen vastleggen. Toegangspoortjes, pinautomaten, digitale camera's en natuurlijk het internet dat één grote verzamelbak is. Die sensoren en apparaten zijn weer verbonden met elkaar of met grote databases van bedrijven of overheden. Doordat de opslagcapaciteit snel groeit en even snel goedkoper wordt, hoeft er geen informatie meer weggegooid te worden. Het is dus heel goed mogelijk om mensen over lange tijd te volgen.

Neem de ov-chipkaart. Tot voor kort werd niet bijgehouden wie wanneer waar naartoe reisde. Wellicht werd een reiziger een paar keer per dag door een camera van de NS gespot. De betaling – als die met een pinpas werd uitgevoerd – verraadde ook waar iemand naartoe zou gaan (al kon het natuurlijk ook zo zijn dat het kaartje voor iemand anders bestemd was). De ov-chipkaart heeft de surveillancecapaciteit van de NS enorm uitgebreid. De meeste kaarten zijn persoonsgeboden, want met een anonieme kaart krijg je geen korting. Wie wil reizen, moet in- en uitchecken. Die informatie wordt in een centrale database van Trans Link Systems bijgehouden en zeven jaar bewaard. Niet alleen weet de NS dat je de trein van Amsterdam naar Den Haag hebt genomen, maar ook hoe laat je bij welk station bent opgestapt en zelfs mogelijk met wie. De NS heeft hiermee een goudmijn in handen, namelijk een grote database met reisbewegingen waaruit ze nieuwe verkoop- en marketingkansen kan onttrekken. De opsporingsdiensten zijn natuurlijk ook erg blij. Het was niet mogelijk zonder dataveillance: er komt geen zintuiglijke waarneming aan te pas en toch weten NS en opsporingsdiensten meer dan ooit tevoren over jouw (reis)gedrag.

Wie echter denkt dat de reiziger of burger alleen maar object is van surveillance heeft het mis. Surveillance kan ook de andere kant op werken, richting het gezag of anderen, waarbij de velen de enkelingen in de gaten kunnen houden. Dit heet *synoptische surveillance.* Een camera staat bijvoorbeeld gericht op een bouwproject en iedereen kan de beelden bekijken en de voortgang van het project beoordelen. De meetinstrumenten van een vervuilende fabriek zijn raadpleegbaar via internet, zodat de omwonenden kunnen controleren of de uitstoot niet te hoog is. Synoptische surveillance lijkt erg op *sousveillance* (daarover zo meer) en de scheidslijn is niet altijd duidelijk te trekken. Synoptische surveillance richt zich uitdrukkelijk op het gezag.

De bronstige wethouder

Hoewel de camera in het fietsenhok niet op synoptische surveillance was ingericht, kreeg het wel die functie, toen hij de Nijmeegse wethouder Paul Depla betrapte. Hij zal de datum 21 november 2007 waarschijnlijk niet meer vergeten, toen onderstaand bericht op GeenStijl verscheen:

PvdA-wethouder oraal bevredigd in fietsenhok

Ja, dat is nog eens een duidelijke kop. Meer kunnen we er ook niet van maken. [...] Niks geen kostenkwestie, de boel liep gewoon gierend uit de hand daar in Havanna aan de Waal. Zo doken politici zelfs met elkaar het fietsenhok in. In Nijmegen hadden ze dat liever stil gehouden, maar wij houden van transparantie. Ook in de politiek. Wat wil het geval? PvdA-wethouder Paul Depla, gedoodverfd voor een mooie functie in Den Haag, heeft zich oraal laten bevredigen in het fietsenhok. Het incident gebeurde onlangs na de fractievergadering. Na afloop van een ongetwijfeld verhit debat trok Depla zich terug met het enige vrouwelijke gemeenteraadslid van de VVD-fractie, om de avond, op geheel eigen wijze, nog even te evalueren. Wat het tweetal niet wist, was dat de beveiligingscamera stilletjes meesnorde.

Geschrokken beveiligers trokken, na van hun verbazing bekomen te zijn, vervolgens aan de bel en confronteerden het gemeentebestuur met de beelden. Daarop volgde een spoedoverleg onder leiding van burgemeester Thom de Graaf. Na ampel beraad werd besloten de zaak stil te houden en ambtenaren en beveiligers een spreekverbod op te leggen.

Maar helaas pindakaas, Al is de leugen nog zo snel, GeenStijl achterhaalt hem wel. [einde bericht]

De betrapte vader van drie kinderen met een veelbelovende carrière in het verschiet moest ineens vrezen voor zijn politieke leven. Hij overleefde de raadsvergadering die naar aanleiding van het incident werd gehouden, maar hij heeft de jaren erna ingeboet aan gezag. Hij is thans burgemeester van Heerlen. Het 'fietsenkelderincident' staat hoog in de Google-resulaten van Depla.

Op YouTube en andere social media duiken geregeld filmpjes op van agenten, inspecteurs, ambtenaren, politici en andere publieke figuren die een of andere regel overtreden, zich misdragen, de boel oplichten of hypocriet bezig zijn. Vooral het populaire GeenStijl plaatst vaak goed bekeken filmpjes en foto's waarin 'het gezag' met zijn eigen handelen wordt geconfronteerd. Een auto van een gemeentelijk team handhaving die op een invalidenparkeerplek staat (het kenteken wordt er natuurlijk ook bijgegeven). Een agent die uitgebreid aan het bellen is in een wachtkamer terwijl een groot bord aan de muur aangeeft dat dat verboden is. Een filmpje van een motoragent die gefrustreerd zijn dienstwapen weggooit om met blote vuisten een conflict met een vervelende puber te beslechten. Dat is de keerzijde van surveillance: ook het gezag zal zich vaker moeten verantwoorden voor zijn optreden.

Veel ogen

De publieke ruimte hang inmiddels zo vol camera's dat er niet genoeg beambten zijn om de beelden uit te kijken. Het Engelse bedrijf Internet Eyes CCTV heeft daar een slimme oplossing op bedacht. Zij schakelt de beelden door naar een netwerk van gewone burgers die thuis voor een vergoeding, vanachter hun pc, de beelden uitkijken. Wie ziek thuiszit, zich verveelt, werkloos is of het gewoon leuk vindt om de mensen in een andere buurt of stad in de gaten te houden, kan zich inschrijven. Het elkaar in de gaten houden is populair en de burger wordt continu aangemoedigd om surveillantje te spelen. Via Meld Misdaad Anoniem, burgernet en vooral via Amber Alert krijgt de politie er ineens veel oren en ogen bij. Daarnaast kun je als bezorgde burger terecht bij kliklijnen voor woonfraude, subsidiefraude, uitkeringsfraude, noem maar op. Het ministerie van Binnenlandse Zaken roept brave burgers op om tijdens de jaarwisseling raddraaiers op de foto of film te zetten.

Behalve dat de burger zijn oren en ogen in dienst stelt van de politie, speurt en registreert hij natuurlijk ook steeds vaker naar het gênante gedrag van zijn medeburgers. Dronken mensen krijgen jaren later nog het schaamrood op de kaken als ze weer eens op een filmpje van zichzelf stuiten. Naaktfoto's lekken uit. Wangedrag wordt vastgelegd. Tweets en Facebook-posts leiden tot ontslag. Vaak zetten onnadenkende mensen zelf gênant materiaal online, maar geregeld doen anderen dat voor ze – boze exen, pestende of met seks experimenterende pubers. Er zijn zo veel middelen beschikbaar om elkaar in de gaten te houden en om gedrag vast te leggen, dat deze surveillance in de meest kleine hoekjes kan schuilen.

Het ziet ernaar uit dat deze sousveillance tot op heden niet echt een disciplinerende werking heeft, wat dat betreft lijkt de theorie van Foucault niet te kloppen. We gaan ons niet echt anders gedragen als we weten dat iedereen een telefoon met fototoestel, videocamera en geluidsrecorder in zijn zak heeft. Dat neemt niet weg dat sousveillance een grote spanning veroorzaakt tussen vrijheid van meningsuiting en het recht op privacy. De Amerikaanse privacydeskundige Daniel Solove constateert in zijn boek *The Future of Reputation* dat we ons op glad ijs begeven als het gaat om sousveillance. We zullen ons volgens hem veel bewuster moeten zijn van onze reputatie en de mogelijkheden en vooral de onmogelijkheden om die vorm te geven.

Controleer mij!

Hoewel iedereen dus onder surveillance staat, laten burgers zich in toenemende mate ook vrijwillig bekijken. Sommigen werken daar in extremo aan mee. Hasan Elahi vloog in 2002 van Nederland naar Detroit en werd bij aankomst opgewacht door de Amerikaanse grensbewaking, die hem naar een paar FBI-agenten in een achterafkamertje loodste. Het bleek dat de jongeman op een terroristenlijst stond. Nu kwam hij oorspronkelijk uit Bangladesh, maar hij woonde al jaren in Californië, waar hij als kunstenaar en docent de kost verdiende. Na urenlange ondervraging en een leugendetectortest mocht hij zijn reis vervolgen. Elahi zag de bui al hangen. Van een terroristenlijst kom je niet zomaar af. In de VS tellen de verschillende lijsten al meer dan één miljoen namen en een procedure om de informatie te controleren en eventueel recht te zetten ontbreekt. Elahi bedacht daarom een radicale oplossing, dat meteen een fraai kunstproject werd.

Op het moment dat ik dit schrijf, bevindt hij zich in Madrid, een klein plaatsje in Maine, in het uiterste noordoosten van de Verenigde Staten. Hij heeft blijkbaar net kleren gekocht bij een kledingzaak in de buurt. De gps in zijn telefoon stuurt continu een signaal naar zijn website www.trackingtransience.net, zodat een rood knipperend pijltje altijd zijn actuele locatie aangeeft. Per dag uploadt hij tientallen foto's. Waar hij koffiedrinkt, van het stationsloket terwijl hij op de trein wacht en een krantje leest, van het bord soep in het restaurant. Als de grensbewaking in het vervolg weer lastige vragen stelt, verwijst hij de beambten koeltjes naar zijn website. Daar kunnen ze zelf uitzoeken waar hij allemaal heeft uitgehangen.

Om soepel en ongestoord door het leven te gaan, kun je soms maar beter alles over jezelf prijsgeven. Correcte en volledige informatie wordt daarmee de sleutel die deuren voor je opent. De kunstenaar lijkt voor een extreme aanpak te kiezen, maar doen wij eigenlijk niet steeds vaker hetzelfde? Hoeveel informatie laat je achter en stel je vrijwillig beschikbaar om wat soepeler door het leven te gaan?

Wat is dan het beeld dat hieruit oprijst? Hoe ziet de hedendaagse surveillancepraktijk eruit? Die is in ieder geval een dynamisch verschijnsel. Verschillende vormen van surveillance bestaan naast elkaar, maar lopen ook in elkaar over. Cameratoezicht (panoptisch) wordt bijvoorbeeld aangevuld met informatie uit databanken (dataveillance) en later eventueel vergeleken met data die een bekekene zelf (zelfveillance) of anderen (sousveillance) op Facebook hebben achtergelaten. Er ontstaan hybride vormen van surveillance, die socioloog Gilles DeLeuze aanduidde met de term 'assemblages'. Assemblages zijn volgens hem 'sterke hedendaagse neigingen of verlangens om verschillende surveillancesystemen samen te brengen voor doeleinden van controle, bestuur, veiligheid, winst of entertainment'. Door de voortschrijdende digitalisering wordt het steeds makkelijker om deze surveillancegebieden samen te brengen. Deleuze vergeleek de groei van de surveillancestaat overigens met een woekerende plant. Je kunt hem proberen te snoeien, maar er schiet altijd wel weer een nieuw stekje uit de grond. Ik zie het zelf meer als een lappendeken van netwerken die over de wereld worden uitgegooid. De netwerken functioneerden eerst los van elkaar, maar raken steeds verder verknoopt en bedekken steeds meer terreinen van het leven. Alles onder die lappendeken wordt gezien.

Maar het blijft niet bij zien alleen. Alle indrukken en informatie worden ook opgeslagen en gebruikt in talrijke databanken. Wereldwijd zijn er duizenden *serverfarms* ontstaan, fabriekshallen vol met servers die de enorme groei van het dataverkeer mogelijk maken, maar ook kunnen opvangen. Door standaardisatie is het steeds beter mogelijk verschillende databronnen te koppelen en zo tot nieuwe inzichten te komen en nieuwe netwerken te bouwen. De muren tussen verschillende private en publieke sferen worden weggeslagen: je weet maar nooit waar een bepaald gegeven ineens opduikt. En in toenemende mate geldt: eens gegeven, blijft gegeven. We bouwen een enorm digitaal geheugen dat niets meer vergeet. En we staan nog maar aan het begin.

2

Duizenden elektronische persoonsdossiers

Every two days we create as much information as we did from the dawn of civilization up until 2003. That's something like five exabytes of data [5.000.000.000.000.000.000 bytes, vijf miljard gigabytes, DT]. Let me repeat that: we create as much information in two days now as we did from the dawn of man through 2003.

Eric Schmidt, CEO Google

Alles is data

Een reclame van IBM. Een baby'tje ligt in een couveuse. Een vreemd waas beweegt over zijn lichaampje. We zien een voetje, een oor, een ademhaling. Langzaam verschijnen er getallen, formules en grafieken op het lichaampje. Ze borrelen omhoog en blijven boven het hoofdje hangen. Het kindje kijkt ernaar. Ondertussen vertelt een zware stem het volgende verhaal: 'Dit is een baby. Een baby die data genereert op de neonatale afdeling. Met iedere hartslag. Iedere ademhaling. Iedere afwijking. Ze genereert duizenden unieke stukjes informatie per seconde. Artsen vinden hiermee nieuwe manieren om levensgevaarlijke infecties eerder op te merken, soms 24 uur sneller. Op een slimme planeet analyseer je de data en voorspel je sneller wat er gaat gebeuren.' Een babylichaam genereert data. Alle lichamen genereren data. Je moet die data alleen zien te onderscheppen.

In verschillende Amerikaanse steden komen groepjes pioniers bijeen om juist dat te doen. Ze heten *self-quantifiers* of *self-trackers* en proberen met behulp van sensoren en software hun lichaamsfuncties te meten, in kaart te brengen, te analyseren en te delen. Een van hen is Alexandra Carmichael. Al jaren meet ze veertig lichaamsfuncties zoals slaap (hoe laat naar bed, kwaliteit, dutjes), ochtendgewicht, calorie-inname (elke maaltijd en totaal van de dag), tijdstippen van de maaltijden, stemming, menstruatiecyclus, seks (kwaliteit en kwantiteit), tijd doorgebracht met de kinderen en medicijngebruik. Ze gebruikt hiervoor een simpel en gratis spreadsheetprogramma in Google Docs. Een aantal resultaten deelt ze op een blog voor self-trackers en op Facebook.

De losse meetresultaten vertelden haar al gauw een verhaal. Haar stemming verbeterde naar gelang ze meer sportte. En als ze zich wat somber voelde, ging ze meer eten. Dat laatste had ze altijd wel vermoed, maar nu had ze in haar spreadsheet het harde bewijs gevonden. 'Met de grafiek in de hand zag ik sneller dingen over mezelf die ik eerder had gemist. Ik begreep dat ik iets aan mijn verhouding met eten moest doen. Ik begon mijn denkpatronen te observeren, om ze te veranderen. Ook ben ik een fantastisch boek gaan lezen om een positiever lichaamsbeeld te ontwikkelen, iets dat ik sinds mijn tiende ontbeer.'

Carmichael denkt dat self-tracking makkelijker en normaal zal worden. 'Self-tracking wordt *ambient*, passief en alom aanwezig. De eerste gebruikers zijn *geeks* en mensen met een chronische ziekte zoals diabetes, waarbij dagelijks zelfmanagement noodzakelijk is. Dan volgen sporters en gezondheidsbewuste mensen,' schrijft ze in een e-mail. Het voordeel van self-tracking is dat de data ook gebruikt kunnen worden om behandelingen voor ziekten te vinden. Carmichael plaatst haar data bijvoorbeeld op de website www.curetogether.com. Mensen met dezelfde ziekte geven onderzoekers inzicht in allerlei lichaamsdata die ze zelf gemeten hebben. Daar waar onderzoekers vroeger met moeite een testpopulatie moesten samenstellen, leveren duizenden vrijwilligers van over de hele wereld nu hun data digitaal aan. Een enorme besparing van kosten en tijd.

We bevinden ons te midden van een data-explosie die superlatieven uitlokt. Commentatoren spreken van een industriële revolutie van data, waarbij data een grondstof zijn geworden die net zo onontbeerlijk is als arbeid, energie en kapitaal. Anderen spreken van een tijd van '*big data*', waarbij enorme bergen data letterlijk voor het oprapen liggen. Volgens sommigen groeit de hoeveelheid data wereldwijd jaarlijks met zestig procent. En die groei versnelt. Volgens oud-Google-CEO Eric Schmidt produceren we iedere twee dagen net zoveel data als alle generaties tot 2003 *bij elkaar*. Die groei wordt gevoed door het toenemend gebruik van online teksten. Sinds kort lezen we weer meer. Maar de echte groei zit in het kopiëren en verspreiden van foto's, films, muziek en telefoonverkeer en de data die automatisch tussen databases wordt uitgewisseld.

Informatie en vermoedens

Het lijkt een stomme vraag, maar wat zijn data eigenlijk? Data is meervoud van datum, een gegeven, een representatie van iets: een feit, een beeld of waarneming, een woord, getal, kleur. Alles kan data zijn. Bijvoorbeeld een letter van een kenteken. Meerdere data bij elkaar kunnen informatie vormen, ze krijgen betekenis. Zes letters en cijfers van een kentekenplaat, een tijdstip en plek waarop die is gefotografeerd. Meerdere stukjes informatie vormen kennis, inzicht. Een bepaald kenteken dat iedere werkdag rond half negen bij een kantorenpark wordt waargenomen, maakt het waarschijnlijk dat de auto aan een werknemer of leverancier toebehoort.

Digitale data zijn fundamenteel anders dan analoge data. Digitale data kunnen namelijk eenvoudig, praktisch gratis, oneindig gekopieerd en verspreid worden zonder kwaliteitsverlies. Volgens theoretisch sterrenkundige Vincent Icke is een digitaal bestand daarom een 'hoogst merkwaardig verschijnsel. [...] Je kunt niet spreken over een merkwaardig *ding*, want digitale gegevens zijn niet tastbaar hoewel ze zijn vastgelegd op een of ander voorwerp, zoals een computerschijf of een dvd. [...] De zuiver symbolische aard van digitale databases maakt ze effectief ongrijpbaar en onherroepelijk.' Volgens Icke vervalt met digitale data het idee van 'origineel' en 'kopie'. Een digitaal bestand is ipso facto exact reproduceerbaar en dus geen unicum. Eenvoudiger gezegd: wie een kopie maakt van een e-book, zal het origineel niet van de kopie kunnen onderscheiden en kan met gemak een miljoen kopieën maken. Wie een kopie maakt van een echt boek, ziet meteen het verschil en is in tijd en middelen beperkt hoeveel kopieën hij kan maken.

Data zijn feitelijk. Ze zijn of ze zijn niet. Hooguit worden er fouten gemaakt in het weergeven of het uitlezen van data. Dat gaat niet op voor informatie. Icke meent zelfs dat databases nauwelijks feitelijke informatie bevatten:

Er zijn slechts enkele tientallen echte feiten over een persoon te melden, zoals geboortedatum, bloedgroep en sommige gegevens uit de levensloop en medische geschiedenis.

Lengte en gewicht veranderen voortdurend, dankzij Michael Jackson weten wij dat huidskleur kan worden veranderd, en geslacht is tegenwoordig ook maakbaar. Zelfs een pasfoto is geen hard feit, want door verandering van belichting, standpunt, haardracht, baardgroei en andere kenmerken zijn talloze varianten van dezelfde persoon maakbaar.

Data kunnen zekerheid verschaffen, informatie zou dat moeten doen, maar doet dat niet per se. Neem weer het voorbeeld van het kenteken. De data zeggen dat een bepaald kenteken bij het kantorenpark is gesignaleerd. Maar daar kunnen we weinig harde feiten uit ontleden. Is het nummerbord echt? Is de foto scherp? Heeft de software het kenteken goed afgelezen? Zat de eigenaar van de auto achter het stuur of was het zijn vrouw? Waren de kentekenplaten gestolen? Staan datum en tijd goed ingesteld op de fotoapparatuur? De kans is groot dat wanneer een nummerbord wordt gesignaleerd, de bijbehorende automobilist daar op dat tijdstip is geweest, maar het is geen hard feit. Het is een vermoeden. Dit besef is zeer belangrijk, zo zal uit de rest van dit boek blijken.

Digitale afvalberg

In het vorige hoofdstuk hebben we gezien dat er steeds meer waargenomen wordt en in digitale data en informatie wordt omgezet. Nieuw is ook dat er steeds meer wordt bewaard. De opslagcapaciteit verdubbelt elke achttien maanden terwijl de prijs daarvan zo ongeveer halveert – de bekende *Moore's Law*. Op mijn eerste mobiele telefoon kon ik hooguit twintig sms'jes bewaren. Op een smartphone kun je zonder problemen je hele muziekcollectie kwijt. Je hoeft geen grote schoonmaak te houden of cd's te verkopen om weer ruimte in je kast te creëren. Dat geldt ook voor bedrijven en overheidsinstellingen. Hoewel, langzaam aan lijken we een punt te naderen waarop de productie van data sneller gaat dan de verruiming van de opslagcapaciteit. De onstuimige groei van (online) videogebruik is hiervan een oorzaak, maar vooral ook het uitlezen van het menselijk DNA. De methode is zo goedkoop geworden en het complete menselijke DNA zo omvangrijk, dat de serverfarms de datavloed niet meer kunnen verwerken.

Dat neemt niet weg dat we een enorm geheugen creëren dat niets meer vergeet. En dat geheugen wordt steeds langer. Neem de zaak van Andrew Feldmar, een Canadese psychotherapeut. In 2006 wilde hij de grens met de VS oversteken. Hij had pech. Een douanebeambte nam hem apart voor een steekproefsgewijze ondervraging. Terwijl zijn auto werd doorzocht, vroeg de beambte wat Feldmar voor de kost deed. Een zoekopdracht op Google moest uitwijzen of Feldmar inderdaad een therapeut was. De beambte vond een artikel uit 2001, *Entheogens and Psychotherapy*. Dat ging over een experiment met LSD, door de therapeut gebruikt *in de jaren zestig*. Feldmar had dus gelogen op zijn aanvraag om de VS binnen te komen, concludeerde de beambte. Een van de vragen op het formulier is immers of je wel eens drugs hebt gebruikt. Hem werd de toegang tot de VS voor onbepaalde tijd ontzegd. Niet alleen wordt informatie langer bewaard, het is dus ook vrij eenvoudig om de kleinste details terug te vinden, zelfs van voor de tijd van internet.

Feldman was zich hier niet van bewust. Maar ook al wil je bepaalde informatie wissen, het kan simpelweg niet. Daar kwam presentatrice Manon Thomas achter. In de zomer van 2005 brak haar buurman in op haar draadloos netwerk en onderschepte enkele pikante foto's van haar. De man plaatste deze op YouTube en veel Nederlandse en buitenlandse sites namen ze over. Thomas sleepte de man met succes voor de rechter. Hij kreeg een werkstraf en moest 5000 euro schadevergoeding betalen. Haar advocaat ging achter websites aan en inderdaad, de foto's leken van het net te verdwijnen. Toch zijn ze nog steeds te vinden. Op zogenoemde *torrentsites*, die bestandjes aanbieden waarmee gebruikers een op een grote bestanden kunnen uitwisselen via zogenoemde *peer to peer*-netwerken, worden de foto's nog gewoon aangeboden. Thomas zal ze nooit allemaal kunnen verwijderen. Zolang er nog één exemplaar is, zijn er net zo goed nog tientallen miljoenen exemplaren. Internet vergeet niets.

Voor bedrijven en overheden is het aanlokkelijk om zo veel mogelijk informatie te bewaren. Zoals we in het volgende hoofdstuk uitgebreid zullen zien, bevatten uitgebreide dossiers waardevolle informatie over de toekomst. Voor de overheid komt hier ook nog bij dat grote databestanden kunnen helpen om misdrijven op te lossen. Niet voor niets worden steeds meer bedrijven verplicht om langdurig gegevens op te slaan. Telecommunicatiebedrijven zijn bijvoorbeeld verplicht om de verkeersgegevens van internetters en bellers op te slaan, dus wie met wie, wanneer, hoe lang en waar heeft gebeld of gemaild, welke websites werden bezocht, etc. De Nederlandse politie wilde aanvankelijk dat deze gegevens vijf jaar werden bewaard. Technisch is dat niet zo'n punt, maar het bleek politiek niet haalbaar.

Belangrijker nog dan de toegenomen opslag- en doorzoekcapaciteit is de groei van netwerken, waardoor informatie loskomt van zijn drager en 'wordt bevrijd'. De opkomst van netwerken is een revolutionair, maar blind proces geweest. In grote lijnen hebben de netwerken zich in drie etappes gevormd tot wat ze nu zijn: van grote logge mainframes, naar personal computers die onderling verbonden werden door onder meer internet, en nu naar wat men *ubiquitous computing* noemt, waarbij computertechnologie alom aanwezig is en alles met elkaar verbonden kan worden.

Auteur Joep Schrijvers spreekt in dit verband over de opkomst van een cyberregime. 'Dit regime, waar de computer en de netwerken de hoofdrol spelen, kunnen we ongeveer vanaf 1970 dateren toen de eerste pioniers, zoals KLM in Nederland, met grote mainframes aan de slag gingen', schrijft hij in zijn boek *Het Wilde Vlees: de TomTomisering van de passionele mens*. En:

> *In de dertig jaar erna is het cyberregime volledig doorgedrongen in de samenleving. Kenmerkend voor de cybertechnologie is dat zij een decentrale technologie is, wat wil zeggen dat er niet een centrale computer is die alles regelt zoals men wel voorzag in de sciencefiction van de vorige eeuw, maar dat de 'intelligentie' is gedistribueerd. Als we de mens zouden modelleren naar deze technologie, dan zouden we de hersenen moeten opsplitsen en stukjes hersenweefsels in de knieën moeten stoppen, in de nieren en achter de rechterteennagel, en deze draadloos moeten verbinden.*

Die decentrale intelligentie heeft grote gevolgen gehad over hoe we met informatie omgaan, zegt econoom, jurist en technologiedeskundige Ian Ayres:

> *Het populaire internetmantra is dat informatie vrij wil zijn. Dat gaat vooral over het beschikbaar maken van digitale data zodat verschillende gebruikers er iets mee kunnen doen. Tot voor kort waren de meeste datasets van elkaar*

gescheiden, zelfs binnen bedrijven, en konden data maar moeilijk gecombineerd worden. Veel data werden in afgesloten 'datasilo's' vastgehouden. Die technische beperkingen vallen nu weg. Data kunnen in verschillende formats verzonden en vergeleken worden. Daarnaast zijn er veel meer data beschikbaar, zoals op het web, die geoogst en gebruikt kunnen worden.

Die netwerken leiden tot sfeeroverschrijdingen en vaak tot wat we als typische privacyproblemen zien. Een cartoon. Een man en een vrouw zitten een stukje uit elkaar aan een bar. De man merkt de vrouw op en biedt haar een drankje aan. De vrouw pakt haar telefoon, drukt een paar knoppen in en scant het gezicht van de man met de telefooncamera. *3d optical scan in progress, initiating facial recognition, querying central database, identity match found*, zegt de telefoon en hij spuwt een 'user rating' uit van de man: slechts een halve ster op een totaal van vijf. *User comments: emotionally inaccessible, selfish in bed, womanizing lying cheater.* De vrouw kijkt ernaar en loopt weg. De man blijft beteuterd achter.

De cartoon beschrijft een situatie die steeds dagelijkser wordt. Door de proliferatie van netwerken, gegevensdragers en dus informatie, vinden steeds vaker sfeeroverschrijdingen plaats. Informatie die in een bepaalde context wordt geopenbaard, bijvoorbeeld op een Facebook-pagina, komt in een andere context ineens bovendrijven, bijvoorbeeld tijdens een eerste afspraakje of bij een sollicitatie. Een sexy foto van een meisje, alleen bedoeld voor de ogen van haar vriendje, verschijnt op Facebook. Een tweet die in een vlaag van woede is verzonden, brengt een politicus later in de problemen. Deze problematiek wordt al zo uitgebreid beschreven in de media, dat ik er hier niet verder op inga. Wat wel belangrijk is, is dat deze verschillende sferen – privé, van verschillende groepen en publiek – steeds meer in elkaar gaan overlopen. Dat komt doordat we nu in de derde fase van de informatiemaatschappij glijden: *ubiquitous computing*.

We hebben het internet van mensen die door middel van een personal computer waren verbonden. Inmiddels zijn we ook flink aan het bouwen aan een Internet der Dingen. Dat betekent dat we overal, altijd, met iedereen en bovenal (dat is het verschil met nu) met álles verbonden zijn. Je bent als mens niet alleen via je pc verbonden aan andere mensen, maar ook aan je koelkast, je alarmsysteem, je auto, het kinderdagverblijf, de database van je afdeling. De koelkast waarschuwt je als de melk opraakt. Je bekijkt tijdens een picknick waarom het alarm thuis ineens is aangesprongen. Je auto weet dat je op de snelweg liever niet harder dan 110 kilometer per uur rijdt en stelt zijn cruisecontrol daar automatisch op in. Het kinderdagverblijf stuurt je een automatische *update* van de testscores van je kind en via de webcam kun je op ieder moment controleren wat de juf met het kroost doet.

Nu onze informatie zich steeds meer over netwerken verplaatst, rijst er een nieuwe belangrijke vraag: wie gaat over die netwerken? Dat is vaak helemaal niet duidelijk. Neem het internet. Het internet in zijn geheel is van niemand. Er is geen staat of instantie ter wereld die er volledige zeggenschap over heeft. De hardware van het internet – de routers en kabels – zijn meestal in private handen, maar er is geen enkel bedrijf dat het net in zijn geheel controleert. In de meeste westerse landen zijn bedrijven verplicht om alle datastromen gelijk te behandelen, het principe van netneutraliteit. Dit principe staat echter onder grote druk van een omvangrijke commerciële lobby in alle westerse landen. Als het tegenzit, zouden enkele bedrijven kunnen bepalen hoe het net zich verder ontwikkelt en wie daar onder welke voorwaarden gebruik van mag maken. Dat neemt niet weg dat niemand het hele net kan overheersen. Het staat iedereen vrij om een Internet Service Provider te starten en zelf nieuwe loten aan het internet te bouwen. Het internet groeit daarom blind, ogenschijnlijk doelloos.

Dat geldt net zo goed voor de netwerken van de overheid. Als we kijken naar Nederland, dan is er geen enkele instantie en geen enkele minister belast met het toezicht op de netwerken van de overheid. Laat staan dat sprake is van sturing. De Wetenschappelijke Raad voor het Regeringsbeleid (WRR) schetste in maart 2011 in het rapport *iOverheid* haarscherp hoe de overheid geen enkele greep heeft op de verknoping van zijn eigen netwerken en de groei daarvan. De meeste Nederlandse netwerken worden op het niveau van de uitvoering opgezet door gemeenten, uitkeringsverstrekkers, de Belastingdienst, politie. Sterker nog, de meest in het oog springende netwerken, zoals het Elektronisch Kinddossier en het Elektronisch Patiëntendossier, zijn op lokaal niveau begonnen en later al dan niet succesvol uitgerold naar een regionaal of landelijk niveau. Ondertussen worden deze losse netwerken met elkaar verknoopt, waardoor weer nieuwe netwerken ontstaan. Er worden bijvoorbeeld steeds meer hulpverleningsinstanties aangesloten op het Elektronisch Kinddossier. Losse applicaties en systemen evolueren dus in netwerken. Daar gaat niet of nauwelijks wetgeving aan vooraf, laat staan een maatschappelijke discussie.

Deze overheidsnetwerken raken niet alleen lokaal en landelijk verknoopt, maar in toenemende mate ook internationaal. De Europese Unie werkt aan meerdere ingrijpende informatiesystemen die nationale netwerken aan elkaar verbinden. Databases met DNA en vingerafdrukken worden opengesteld.

Strafrechtelijke signaleringen worden uitgebreid gedeeld via bijvoorbeeld het Schengen Informatie Systeem SIS. Nu vallen alle lidstaten onder hetzelfde juridische regime dus is er nog enige regulering mogelijk. Dat geldt niet of nauwelijks in de samenwerking met de Verenigde Staten. Sinds 9/11 geven Europese landen ook toegang tot hun systemen aan Amerikaanse opsporings- en veiligheidsdiensten. Maar ook buiten het veiligheidsdomein worden steeds meer nationale systemen aan elkaar geknoopt. Wie hiervoor verantwoordelijk is, is vaak onduidelijk. Het is een geleidelijk proces dat zich grotendeels buiten het publieke debat afspeelt.

De WRR spreekt daarom van het ontstaan van een iOverheid en een iSamenleving in plaats van de veel gebezigde term eOverheid en eParticipatie.

Wie verder kijkt dan de in het kader van de eOverheid ingevoerde applicaties en digitaliseringslagen, ontwaart een kluwen aan informatiestromen die zich een weg banen binnen en tussen de verschillende overheden, in de relatie burger-overheid en daarbuiten. Informatie en hoe hierop te sturen vormen echter nauwelijks een expliciet benoemd speerpunt binnen het overheidsbeleid. Stapje voor stapje, besluit na besluit, vormt er zich in de dagelijkse praktijk een informatie-Overheid zonder dat hier een overkoepelende visie of besef op het niveau van de politieke aansturing aan ten grondslag ligt. De paradox van de iOverheid bestaat erin dat de overheid een iOverheid opbouwt waar ze zelf het bestaan niet van afweet.

Ook niet-overheidsinformatie komt steeds verder van ons af te staan, vaak zelfs in het buitenland. Digitale informatie verhuist van de pc naar *the cloud*, de wat vage naam die het geheel aan servers ter wereld moet omvatten. Onze foto's staan op Picasa, documenten in Google Docs, persoonlijke correspondentie bij Hotmail, muziek, video en app-data in de iCloud van Apple. Je bestanden kunnen zich fysiek overal bevinden, in de serverfarms in New Jersey, Amsterdam, Bangkok, Sydney. Dit leidt tot allerlei ingewikkelde juridische en praktische problemen. Onder welk regime vallen je gegevens, bijvoorbeeld je foto's op Picasa? Onder het Amerikaanse recht, of het Europese? In de meeste dagelijkse gevallen is deze vraag niet zo relevant, maar wel als er dingen fout gaan: schade door storingen, of als opsporingsdiensten van de informatie gebruik willen maken.

Maar het verzamelen en verknopen is niet de enige dynamiek. We hebben al gezien dat vrijwel alles gezien wordt, steeds meer informatie wordt bewaard en verknoopt. De standaard privacydiscussie houdt meestal hier op. En dat is jammer. Wat veel mensen onvoldoende beseffen is dat de weg hier niet stopt: het traject gaat door. De verzamelde informatie wordt namelijk ook gebruikt. Aan de hand van dataminingstechnieken proberen we toekomstig gedrag van burgers en consumenten te voorspellen. Dat is de hoofdprijs, de belangrijke inzet van de verzamelwoede. Gewapend met deze kennis kunnen we nu ingrijpen om toekomstige risico's te minimaliseren. In de informatiemaatschappij blijft het verleden bewaard, wordt het heden in real time gezien en denken we in toenemende mate ook de toekomst te kennen.

3

Statistische waarzeggers

You're innocent until predicted guilty.

Kans op schuld

Een jongeman komt vrij nadat hij vier jaar gevangenzat voor een aantal gewelddadige berovingen. Hij wil oprecht zijn leven beteren en keert terug naar zijn woonplaats Philadelphia. Daar ontdekt hij iets vreemds. Iedere dag staat een politiewagen een half uur stil voor zijn huis. Ook moet hij zich vaker bij de reclassering melden dan een paar oude gevangenisvrienden die zich vooral met heling hebben beziggehouden. Hij dankt die extra aandacht aan een algoritme.

Steeds meer politiekorpsen in de VS doen aan *predictive policing*, voorspellend politiewerk. Het idee erachter is simpel: waarom zou je al gepleegde misdrijven oplossen als je ze ook kunt voorspellen en dus voorkomen? De uitvoering is complex en vereist veel persoonsgegevens. De Amerikaanse statisticus Richard Berk ploos daarom tienduizenden straf- en reclasseringsdossiers uit op zoek naar interessante correlaties. Hij claimt accurater dan wie dan ook te kunnen voorspellen welke gevangene na vrijlating de fout in gaat. De data onhullen nog meer. Zijn team van de University of Pennsylvania kan acht van de honderd moorden voorspellen. Niet waar of wanneer een moord wordt gepleegd, maar wel wie erbij betrokken zal zijn, als dader of slachtoffer. In Washington en Philadelphia wordt Berks voorspellingstechniek al gebruikt om de mate van surveillance van ex-gevangenen in te schalen. Er zijn plannen om de risicoschattingen ook te gebruiken voor de strafbepaling, maar dat is nog omstreden.

Ook in Europa (inclusief Nederland) wordt dit soort systemen al gebruikt, maar dan vooral in de reclassering. In het Verenigd Koninkrijk bestaat het Offender Assessment System Violence Predictor. Die plaatst gevangenen in gevarencategorieën en gebruikt daarvoor variabelen als woonsituatie, opleiding, relatie, financiële situatie en inkomen, levensstijl en bekenden, drugs- en alcoholgebruik, emotioneel welzijn, gedrag en houding. Wie in een hogere gevarencategorie terechtkomt, wordt later vrijgelaten of onder verscherpt reclasseringstoezicht geplaatst. De gevangene heeft op dat moment nog niets misdaan. In Nederland wordt dit instrument ook gebruikt met de Recidive Inschattingsschalen (RISC). Uit onderzoek van het Wetenschappelijk Onderzoek- en Documentatiecentrum (WODC) blijkt dat RISC redelijk goed kan inschatten of een ex-gevangene snel weer in de fout gaat. Voor zover bekend wordt dit soort instrumenten nog niet in de strafrechtpleging en opsporing gebruikt.

Toch maakt ook de Nederlandse politie gebruik van geavanceerde voorspellingstechnieken. Als ergens in de stad een preventieve fouilleeractie plaatsvindt, kun je ervan uitgaan dat die locatie niet willekeurig is gekozen. De korpsen kunnen tegenwoordig al redelijk goed voorspellen waar of wanneer in een stad of streek extra politie-inzet nodig is, of waar en wanneer de pakkans het grootste is. Politiekorpsen hebben steeds meer data en informatie tot hun beschikking. Processen-verbaal, strafdossiers, incidentenregisters, demografische informatie en meteorologische gegevens zijn makkelijker te combineren en te doorzoeken. Door middel van datamining komen zo patronen bovendrijven die ook voorspellende waarde hebben. Het korps Midden- en West-Brabant baseert zijn politie-inzet met Oud en Nieuw bijvoorbeeld op analyses die met het programma DataDetective worden gemaakt. Er wordt daarbij gekeken naar eerdere incidenten, welke personen daarbij betrokken waren en waar die personen zich nu bevinden. Het programma doet dan voorspellingen waar de problemen dit jaar te verwachten zijn. De Amsterdamse politie bepaalt met het programma waar preventieve fouilleeracties plaatsvinden. Ook zijn er programma's die per buurt aangeven wat voor misdrijven er de komende tijd vermoedelijk gepleegd gaan worden. Deze programma's nemen bij hun berekeningen data over recente incidenten, reclasseringsinformatie, weersvoorspellingen en buurtgegevens over inkomen en demografische opbouw mee.

Deze systemen doen denken aan de film *Minority Report*. Acteur Tom Cruise speelt hierin een detective van een politie-unit die moorden kan voorspellen. Het systeem is wat zweverig en kinderlijk. *Precogs*, een soort helderzienden, blikken in de toekomst. Aangevuld met realtime data ontstaat zo een rijk portret van een mogelijke moordenaar. Er zijn zoveel puzzelstukjes bekend, dat Cruise en zijn collega's preventief kunnen ingrijpen en de dader kunnen pakken, voordat hij de schedel van zijn vrouw heeft kunnen inslaan. De verhaallijn klinkt vergezocht, maar heeft toch wel wat raakvlakken met de realiteit. Sterker nog, buiten het politiewerk is het voorspellen van toekomstig gedrag op basis van persoonsgegevens al de normaalste zaak van de wereld, zoals uit het verloop van dit boek zal blijken.

Datamining

Dat voorspellen noemen we profileren en dat wordt gedaan door middel van datamining. Hierbij gebruikt men een algoritme om een hele bak data door te spitten. Je kunt algoritmen ruwweg op twee manieren inzetten. In de eerste plaats kun je een algoritme naar nog onbekende verbanden laten zoeken tussen verschillende data. Als je in een politiedatabase met processen-verbaal een lijst met uiterlijke kenmerken van verdachten doorzoekt, vindt het algoritme misschien dat de meeste berovingen worden gepleegd door verdachten met donker haar. Het algoritme kan bepaalde soorten individuen en groepen dus *definiëren*, in dit geval donkerharige berovers. Belangrijk is om te beseffen dat het algoritme een correlatie vindt, en geen oorzakelijk verband. Met andere woorden: de combinatie donker haar en beroving komt vaker voor dan andere combinaties, maar dat betekent niet dat het hebben van donker haar automatisch leidt tot criminele deviantie.

Een algoritme kan ook gericht zoeken aan de hand van regels, bijvoorbeeld: 'Zoek naar verdachten die het meest waarschijnlijk een beroving hebben gepleegd en misschien weer zullen plegen.' In dat geval sorteert het algoritme de verdachten naar haarkleur, gezien het voorgaande een logische keuze. Aan het einde van het dataminingproces krijgt de politieman een overzicht van verschillende groepen verdachten, bijvoorbeeld blond-, rood- en donkerharigen. De politieman zal dan de lijst met donkerharigen als eerste doornemen omdat deze groep een hogere *waarschijnlijkheid* heeft dat er berovers tussen zitten. Deze algoritmes worden dus gebruikt om individuen te *classificeren*, ze in een profiel te plaatsen.

Profileren is helemaal niet nieuw, sterker nog, we doen het van nature. Op basis van beschikbare informatie maken we stereotypen aan. Een jongeman met tatoeages, een trainingspak en baseballcap op schatten we anders in dan een vrouw van middelbare leeftijd in een net mantelpak. Op basis van onze observatie en vooroordelen beslissen we hoe we zo iemand benaderen. Simpel gezegd: we plaatsen anderen al in hokjes en doen op basis daarvan voorspellingen over hun gedrag en status in het verleden, het heden en de toekomst. Ook de techniek achter het datamining is niet nieuw: het is basale statistiek, die in de negentiende eeuw al grotendeels beschikbaar was.

Nieuw is de enorme schaalgrootte, mogelijk gemaakt door de automatisering van het profileringsproces. Die schaalgrootte leidt tot nieuwe inzichten over toekomstig gedrag van individuen en groepen. Een goed voorbeeld is het inkoopbeleid van de Amerikaanse supermarktgigant Walmart. Zodra een orkaan nadert, zorgt Walmart ervoor dat de schappen van de supermarkten vol liggen met Pop-Tarts, een soort snack die je warm en koud kunt eten. Uit de combinatie van verkoopcijfers en meteorologische informatie blijkt namelijk dat bij hevige stormen klanten massaal Pop-Tarts inslaan. Walmart houdt daarom het weer in heel Amerika nauwlettend in de gaten: een storm biedt verkoopkansen. Een ander voorbeeld. Vliegtuigmaatschappijen proberen hun vluchten zo vol mogelijk te boeken. Op het laatste moment zijn er altijd reizigers die niet komen opdagen, waardoor dure ruimte in het vliegtuig onbenut blijft. De oplossing is om meer passagiers in te boeken dan er zitplaatsen zijn. Sommige maatschappijen laten de mate van overboeken afhangen van het aantal vegetarische maaltijden dat is besteld. Uit analyse van miljoenen vluchtgegevens blijkt namelijk dat vegetarische reizigers vaker komen opdagen. Voorheen onbekende correlaties worden gevonden in *big data*.

U wilt *Adaptation*

Ook op individueel niveau kunnen voorspellingen gedaan worden. De absolute meester hierin is Google. De zoekgigant beschikt over veel individuele informatie: zoekgeschiedenis, browsergeschiedenis (van Chrome-gebruikers), inhoud van e-mails (van Gmail-gebruikers), inhoud van documenten (Google Docs). Er is niemand bij Google die dit daadwerkelijk leest. Een algoritme weegt de informatie en zoekt automatisch de meest relevante adverteerder daarbij. Door zijn diensten gratis aan te bieden, zorgt Google voor een groot aantal gebruikers en daardoor voor goede algoritmen. De rekening gaat naar de adverteerder. Een ander voorbeeld. Toen ik nog in Amerika woonde, had ik een abonnement op Netflix, een online videowinkel met een indrukwekkend groot aanbod van Hollywood- en arthousefilms, documentaires en series. Voor een vast bedrag per maand mag je continu drie dvd's in bezit hebben. Netflix houdt bij wat we kijken en vraagt ons iedere keer de film te beoordelen. Netflix doet dat bij alle kijkers. Een algoritme is continu voor ons aan de slag om met nuttige suggesties voor andere titels te komen. Vind je *Eternal sunshine of the spotless mind* goed? Dan zal *Adaptation* je waarschijnlijk ook bevallen, zegt Netflix. Je komt zo op films die je normaal gesproken niet snel vindt. Sterker nog, de meeste films worden gehuurd naar aanleiding van zo'n suggestie.

Deze automatische profilering heeft een grote vlucht genomen in het bedrijfsleven. Vooral in het Customer Relationship Management (CRM) – wat kort door de bocht gezegd het werven, behouden, afstoten en leegmelken van klanten inhoudt – is profilering een standaardgereedschap geworden. De overheid maakt hier echter ook steeds vaker gebruik van.

De Amerikaanse overheid huurde na 9/11 CRM-deskundigen in om profileringsoftware te maken die terroristen vroegtijdig zou herkennen. Op vrijwel alle beleidsvelden wordt profilering al toegepast, of worden systemen ontwikkeld: de jeugd(gezondheids)zorg, de Belastingdienst, fraudedetectie, criminaliteitspreventie en opsporing, gezondheidsbeleid, het onderwijs, et cetera.

Het automatisch profileren draagt een grote belofte in zich, maar is niet zonder gevaar. Een goed profiel is afhankelijk van goede informatie. Ik koop graag boeken op Amazon.com. Die doet op basis van mijn vorige aankopen en van correlaties in de aankopen van andere klanten een voorspelling van wat ik verder nog zou willen lezen. Zodra mijn vrouw op mijn account ook boeken gaat kopen, gaat het mis. Dan weegt het algoritme haar boekenkeuze ook mee in de toekomstige aanbevelingen. Het algoritme kan immers niet zien of ik of mijn vrouw achter de computer zit. Nu is dit een relatief onschuldig voorbeeld. Het wordt problematischer als gaat om ingrijpende beslissingsprocessen. Foute informatie kan ertoe leiden dat iemand een hoog risicoprofiel krijgt aangemeten en telkens wordt gearresteerd, zoals we in de inleiding al zagen. In tegenstelling tot wat veel mensen denken, zijn overheden en bedrijven niet verplicht om ervoor te zorgen dat de informatie die ze hebben correct is. Ze hebben een inspanningsplicht en je kunt als burger en klant in veel gevallen wel foutieve informatie herstellen (als de betreffende instantie meewerkt).

Een ander probleem, dat maar weinig aandacht krijgt, is wat ik de validiteit van regels noem. Een algoritme is vaak niet meer dan een set regels waarmee de data in een systeem worden bekeken. De regels bepalen hoe data worden gewogen en hoe de datasubjecten (u dus) uiteindelijk worden geclassificeerd. De Nederlandse overheid gaat er bijvoorbeeld van uit dat armoede een risicofactor is voor de ontwikkeling van kinderen. Je kunt je voorstellen dat een algoritme alle Elektronische Kinddossiers van een stad doorzoeken op signalen van armoede en dat daar een lijst van te bezoeken gezinnen uit komt rollen. Maar wie zegt dat armoede een risicofactor is? Is daar onderzoek naar gedaan? Met andere woorden: is dit een valide regel? Een ander voorbeeld. In het verleden is gebleken dat sommige hypotheekverstrekkers aan *redlining* deden. Wie in een bepaalde achterstandsbuurt woonde, kon geen hypotheek afsluiten. Die inschatting was dus gebaseerd op de regel: wijk x is onbetrouwbaar dus bewoners uit wijk x zijn dat ook. Dat is nogal een statement. Meer hierover in de komende hoofdstukken.

Ten derde is een veel voorkomend probleem wat je met de uitkomsten van profileren doet. Zoals we hebben gezien zegt profileren iets over een correlatie en niet over causaal verband. In de praktijk worden die twee begrippen vaak verwisseld. Huiselijk geweld vindt vaker plaats in arme gezinnen van wie een van de ouders werkloos is. Dat betekent nog niet dat werkloosheid of armoede automatisch tot geweld leiden.

Misschien wel het meest lastige probleem van automatisch profileren is dat het de burger of klant macht ontneemt. Als een bank vroeger een lening weigerde, kon je met de klerk in gesprek gaan. Als het goed is kon die uitleggen waarom je niet voor een lening in aanmerking kwam. Nu dit soort processen is geautomatiseerd, is het lastig. Officieel neemt nog altijd een mens de beslissing om al dan niet een lening te verstrekken – dat moet van de wet. Maar in de praktijk gaan bankmedewerkers af op het advies van de computer, een advies dat met een algoritme tot stand is gekomen. Je kunt echter niet in discussie met zo'n profiel. Als je een beslissing effectief wilt aanvechten, moet je weten welke informatie is gebruikt. Een overzicht daarvan kan een bank meestal nog wel verschaffen. Je weet echter niet hoe die informatie is gewogen of hoe jouw profiel eruitziet. Als de bank dat al kan uitleggen, en de klant kan dat begrijpen, dan nog zal een bank dat niet willen omdat het bedrijfsgevoelige informatie betreft. Er is daarom een waas opgetrokken rondom de bewerking van jouw gegevens die je niet zomaar kunt verwijderen. En daardoor ontstaat een machtsverschil. Overheden en bedrijven hebben steeds meer inzicht in wie je bent, wat je doet, wat je hebt gedaan en wat je nog zult doen.

Al dat zien, vergaren, bewerken en profileren heeft een enorme vlucht genomen en we staan nog maar aan het begin. Het leven raakt steeds verder gedigitaliseerd. In de fysieke ruimte verschijnen steeds meer sensoren, camera's, toegangspoorten die een nauwe interactie met ons aangaan. Achter de schermen worden steeds meer informatiestromen samengevoegd. Langzaam aan bouwen wij allemaal een omvangrijke digitale schaduw op, een weerspiegeling van onszelf in databases. De schaduw achtervolgt ons niet, maar loopt op ons vooruit, dankzij het risicoprofileren. In het tweede deel zal ik nog uitgebreid stilstaan bij wat dat in de dagelijkse praktijk voor ons betekent, wat die vooruitgeworpen schaduw nu eigenlijk teweegbrengt.

Eerst is het nog belangrijk om te bepalen *waarom* dit plaatsvindt. Vanuit welke gedachte, welke context worden al deze systemen opgezet? Wat drijft het informatieproces?

Hoe hoopvol de informatierevolutie ook is voor velen, hij gaat gelijk op met een verlies aan vertrouwen. In zijn boek *De nieuwe wanorde: globalisering en het einde van de maakbare samenleving* slaat de Groningse cultuurhistoricus René Boomkens de spijker op de kop als hij een brug slaat tussen de opkomst van de informatiemaatschappij en het veranderende idee over maakbaarheid. 'Al decennialang is de overheid aan het "dereguleren", "privatiseren" en "liberaliseren", maar geconfronteerd met de verontrustende toename van onveiligheidsgevoelens onder de bevolking en met de groter wordende onrust rond integratie [...] ontpoppen de overheid en de politiek zich plotseling als kampioenen van de maakbare samenleving,' zegt Boomkens, geheel tegen de communis opinio in. 'Dit is echter geen maakbaarheid die, zoals in de jaren zestig en zeventig, in het teken staat van emancipatie, vooruitgang en solidariteit, maar een die in het teken staat van surveillance, controle misdaad- en terreurpreventie, bewaking, zero tolerance, spreidingsbeleid, inperking van privacy, kortweg: het herstel van een autoritaire, gesloten samenleving.'

Op naar de risicosamenleving ...

4

De risicosamenleving

To be modern is to find ourselves in an environment that promises us adventure, power, joy, growth, transformation of ourselves and the world – and, at the same time, that threatens to destroy everything we have, everything we know, everything we are.

Socioloog Marshall Berman

Babykillers

Op 23 januari 2009 staat rond tien uur 's ochtends ineens een vreemde jongeman in de gang van het kinderdagverblijf Fabeltjesland. Zijn gezicht is zwart geschminkt, zijn haar is rood geverfd. Als een leidster hem opmerkt, begint de man wild om zich heen te steken met een mes. Baby's, begeleidsters, niemand is veilig. Twee jongetjes van negen maanden en een leidster overlijden. Een aantal anderen raakt gewond. Er breekt paniek uit in het Vlaamse Dendermonde, want daar speelt zich dit drama af. Scholen en kinderdagverblijven moeten hun deuren sluiten, terwijl de politie naar de dader zoekt. Die wordt snel gepakt. Het blijkt de twintigjarige Kim de Gelder te zijn, een verlegen jongen. Uit het strafrechtelijk onderzoek blijkt dat hij enkele dagen voor de slachtpartij ook een 72-jarige vrouw heeft vermoord. De forensisch psychiaters kunnen het niet eens worden over de toerekeningsvatbaarheid van De Gelder. Op het moment van schrijven was de zaak nog niet afgerond.

De schok in binnen- en buitenland is groot. De angst ook. Als zelfs onze baby's niet veilig zijn... In België wordt een federaal programma opgezet om kinderdagverblijven beter te beveiligen. Ook in Nederland nemen crèches maatregelen. Aanbieders van biometrische toegangsapparatuur doen goede zaken. In Nederland zijn de sloten met vingerafdrukverificatie al langer in opmars, maar grootschalige toepassing blijft uit vanwege bezwaren van ouders. Kinderen kunnen niet zomaar meer door een familielid worden opgehaald. Is de opslag van vingerafdrukken wel bestand tegen pogingen tot diefstal en identiteitsfraude? En gaan kinderdagverblijven niet steeds meer op gevangenissen lijken die de aansluiting met de buurt volledig kwijtraken? Die bezwaren worden na Dendermonde nauwelijks nog gehoord. Kinderdagverblijven nemen liever het zekere voor het onzekere. Ouders zijn bang.

In de eerste golf van verwarring, verdriet en woede is deze reflex naar extra veiligheidsmaatregelen begrijpelijk. Wie deze zaak echter bekijkt met de koele blik van statistiek en kansberekening, merkt toch iets vreemds op. Als we België buiten beschouwing laten en ons op Nederland richten, wat is dan de kans dat een kind op een kinderdagverblijf slachtoffer wordt van een gevaarlijke gek? Eerlijk gezegd kunnen we dit niet goed uitrekenen, daarvoor zijn er te veel variabelen. Hoeveel mensen zijn hiertoe in staat? Hoe vaak bevinden die zich in de buurt van een kinderdagverblijf? We kunnen wel enkele bekende cijfers erbij halen. Begin 2011 zijn er volgens het Centraal Bureau voor de Statistiek 2700 opvanginstellingen in Nederland die bij elkaar ruim twee miljoen kinderen tot twaalf jaar op enig moment dagzorg bieden. Het aantal dodelijke incidenten in Nederland staat dan al tien jaar op nul. De kans dat er iets met jouw of met een ander kind misgaat, is dus wel erg klein. Het enige grote incident van de afgelopen jaren is het misbruik op een aantal kinderdagverblijven in Amsterdam, dat eind 2010 aan het licht kwam. Dat misbruik werd gepleegd door een insider. Staan de kosten en het ongemak van biometrische toegangscontrole wel in verhouding tot het incident in Dendermonde?

Deze misrepresentatie van gevaar is een beetje een cliché. Neem ter illustratie het op de volgende pagina staande diagram door over de niet-natuurlijke doodsoorzaken tussen 1999-2009 en bedenk waar we ons als samenleving wel en niet druk over maken.

De voorgaande hoofdstukken beschreven *hoe* informatie over ons gedrag wordt verzameld en *wat* daarmee gebeurt. We weten nog niet *waarom* bedrijven en overheden willen dat die informatie wordt opgeslagen, bewaard, bewerkt en gebruikt. In dit hoofdstuk betoog ik dat informatievergaring voortgestuwd wordt door angst voor controleverlies. We leven in onzekere tijden. Gevaren worden uitvergroot, overal loeren risico's. Ja, er gebeuren vreselijke dingen in onze maatschappij, maar we reageren daar collectief veel te heftig op. Dat heeft verstrekkende gevolgen. Oude idealen van vooruitgang, solidariteit en emancipatie worden weliswaar met de mond beleden, maar in de maatschappelijke ordening staan risicopreventie, voorzorg, repressie en uitsluiting centraal. Dit hoofdstuk beschrijft in welk licht we de informatiemaatschappij het scherpst kunnen zien en legt zo het laatste fundament voor de rest van het boek.

De niet-natuurlijke doodsoorzaken tussen 1999-2009

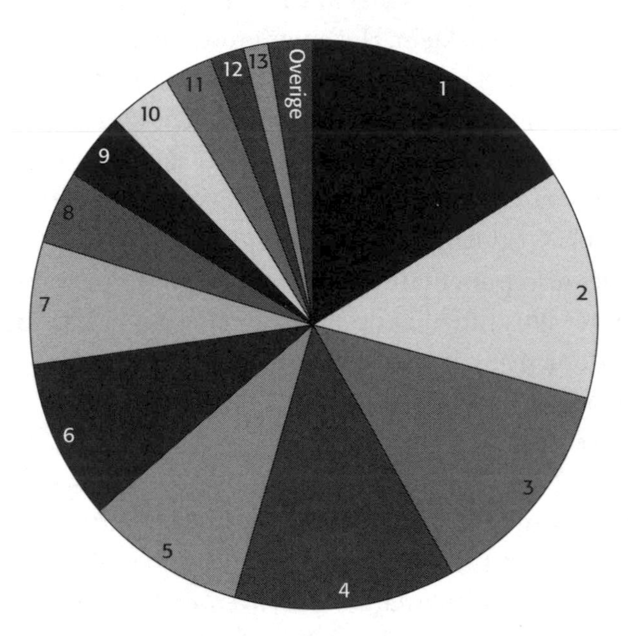

Onderwerpen

	Nr.	Onderwerp	Aantal
	1	Voetganger botsing vrachtwagen	170
	2	Onopzettelijke vergiftiging door alcohol	136
	3	Getroffen door geworpen, geslingerde voorwerpen	134
	4	Onopzettelijke verstikking en wurging in bed	130
	5	Onopzettelijke verhanging en wurging	96
	6	Geweldpleging door stomp voorwerp	94
	7	Val op en van ladder	73
	8	Verdrinking door vervoer over water	42
	9	Opzettelijke auto-intoxicatie pesticiden	42
	10	Gebeten, aangevallen door zoogdier	38
	11	Bestelwagen botsing vrachtwagen	28
	12	Val uit boom	22
	13	Val op eenzelfde niveau, ijs en sneeuw	14
Overige		Val met schaatsen, ski's, rolschaatsen In aanraking komen met sportuitrusting Val waarbij speeltuinuitrusting betrokken is Stoten tegen of oplopen tegen anderen Explosie en scheuren van boiler Terrorisme Vermorzeld, geduwd, in menigte of gedrang	24

Ontgoocheling

We leven in een ontgoochelde samenleving. Het vooruitgangsgeloof, een van de meest dominante ideeën sinds de Verlichting, heeft plaatsgemaakt voor het besef dat de toekomst niet per se beter zal zijn dan het heden en verleden. Sterker nog, de toekomst kan wel eens een stuk minder aangenaam zijn. Onze ouders en grootouders verwachtten dat met hard werken, de vorderingen in wetenschap en techniek, de emancipatie van burgerij, arbeiders, vrouwen en allochtonen, de uitbouw van een sociaal vangnet en een kapitalistisch systeem met een menselijk gezicht de wereld een betere plek zou worden. Die droom is grotendeels verwezenlijkt, maar met vooruitgang liftten ook nieuwe problemen mee.

De moderniteit heeft een aantal monsters gebaard die we maar niet kunnen temmen. Het zijn monsters die ons bestaan sluipenderwijs en onaflatend lijken te bedreigen. Globalisering, zeker in zijn neoliberale vorm, priemt grenzen open en stelt burgers in toenemende mate bloot aan de luimen van de wereldmarkt. Of je verzekerd bent van een pensioen, is evengoed afhankelijk van de bonusstructuur op Wall Street en de begrotingsdiscipline van Italië als van jouw spaarvlijt. Toenemende mobiliteit is een zegen voor wie van reizen houdt, maar brengt ook problemen van ver dichterbij. Immigratie ontwricht stadswijken. Terroristen brengen buitenlandse conflicten op onze stoepen. Als de spanningen tussen Koerden en Turken weer oplaait, heeft de Nederlandse politie handenvol werk om de heethoofden uit elkaar te houden. Voortschrijdende techniek brengt ons ongekende welvaart, comfort en ontplooiingsmogelijkheden. Maar techniek heeft vaak ook een donkere kant. Onze leefomgeving raakt vervuild. Mensen en dieren raken ziek. Criminelen en terroristen blijven de opsporingsdiensten met nieuwe snufjes telkens een paar stappen voor. Internet is naast een zegen ook een nieuw opvoedprobleem. Leuk om met oma aan de andere kant van de wereld te chatten, maar minder leuk als een onbekende man van middelbare leeftijd dat met jouw minderjarige dochter wil doen. Individualisering heeft ons vrij en deels gelukkiger gemaakt. Maar individualisering vervalt ook tot onthechting, verhuftering en vereenzaming. De vrijheid van de een is de overlast van de ander geworden. Het sociale vangnet vreet aan de economische draagkracht en aan onze solidariteit. Ideeën over individuele en collectieve verantwoordelijkheden zijn van kleur verschoten.

Volgens socioloog Zygmunt Bauman, en met hem vele anderen, leiden deze veranderingen tot een nieuw maatschappelijk en politiek gedrag: risicovermijding en controledwang.

> *Unable to slow the mind-boggling pace of change, let alone to predict and control its direction, we focus on things we can, or believe we can, or are assured that we can influence: we try to calculate and minimize the risk that we personally or those nearest and dearest to us at that moment, might fall victim to.*

De moderne samenleving is een samenleving die gepreoccupeerd is met het signaleren en beheersen van risico's die door onze manier van leven worden veroorzaakt.

Wees bang!

Opvallend daarbij is dat het begrip risico de laatste decennia aan inflatie onderhevig is. Onze verre voorouders zouden waarschijnlijk niet begrijpen waar wij ons druk over maken.

Het begrip risico werd vroeger dan ook weinig gebruikt. Het is in de uitlopers van de Renaissance ontstaan als verzekeringsmaatstaf. Koopvaarders konden hun vracht verzekeren door te berekenen hoe groot de kans was dat een schip zou vergaan en tot welke verwachte schade dat zou leiden. In de twintigste eeuw raakte het begrip risico los van het verzekeringsbedrijf. Het hele bedrijfsleven raakte in zwang van het risicodenken. Door de automatisering en groei van de zakelijke dienstverlening leren bedrijven de mijnen in het veld steeds beter te ontwijken. In het economisch bedrijf zijn relatief harde cijfers beschikbaar waarop ondernemingen behendig kunnen sturen. Tenminste, zo stellen managers dat graag voor. Nu ook de publieke sector in zwang is geraakt van het bedrijfsmatige denken (benchmarks, targets, ketenorganisaties, projectmanagement) is het risicodenken ook hier in zwang geraakt. Maar in het publieke domein zijn er minder harde cijfers beschikbaar. In plaats van een koele, objectieve berekening van waarschijnlijke schade behelzen risico's steeds meer een gevoel van mogelijke bedreigingen. Soms zijn die bedreigingen calculeerbaar. De meeste echter niet.

De wetenschap en media spelen een belangrijke rol in deze begripsinflatie. Zeker met de groei van het aantal universiteiten en onderzoekers is ook het belang van de wetenschap als signaleerder van risico's toegenomen. Dagelijks komen deskundigen in het nieuws die waarschuwen voor massale gezondheidsproblemen, dijkdoorbraken, nieuwe vormen van criminaliteit, sociale gevaren, milieuproblemen, et cetera. Dit meestal met de beste bedoelingen. Soms zijn dit goed gefundeerde inschattingen van gevaar. Maar vaak is de consensus onder wetenschappers ver te zoeken, of worden de resultaten van wetenschappelijk onderzoek door belangengroepen zo belicht dat er een voor hen gewenst beeld van een risico ontstaat. Het klimaatdebat is hier een zeer duidelijk voorbeeld van. Hoewel onder een groot deel van de wetenschappers een consensus bestaat dat de atmosfeer door menselijk handelen opwarmt, weet een kleine groep onderzoekers continu twijfel te zaaien over de aard en omvang daarvan. Wie moet je geloven? Welke motieven drijven de onderzoekers? Inmiddels staat vast dat een aantal onderzoekers te alarmistisch is geweest, maar dat een aantal sceptici wel erg nauwe banden heeft met bedrijven en overheden, die er belang bij hadden dat de VN-klimaattop van 2010 in Kopenhagen mislukte.

De onzekerheid wordt vergroot doordat naast de academische wetenschap nog een hele keur van onderzoekscentra, R&D-afdelingen en actiegroepen is ontstaan die de media bestookt met dikwijls alarmerende rapporten en peilingen die aandacht vragen voor een misstand of risico. Natuurlijk heeft het betreffende bedrijf of de actiegroep een oplossing. Dit mechanisme waarin een eigenbelang het gesignaleerde gevaar vervormt, is vaak niet direct duidelijk. In de folders van defensie- en softwarebedrijven worden producten vaak aangeprezen met een verwijzing naar de groeiende onveiligheid in de moderne westerse samenleving. Dat is feitelijk onjuist. In vrijwel alle westerse landen daalt de criminaliteit en het aantal terroristische voorvallen al jaren. Een Nederlands bedrijf dat een mobiele surveillancewagen verhuurt, heeft op zijn site bijvoorbeeld een diaserie staan. We zien daarop ernstige rellen in de banlieus van Frankrijk en de Gazastrook. De surveillancewagen is bedoeld voor grote Nederlandse evenementen zoals Koninginnedag. Angst verkoopt.

De media dramatiseren informatie. De traditionele media zijn dol op (vermeend) gevaar. Enerzijds zitten daar platte motieven achter: angst en drama zijn goed voor de verkoopen kijkcijfers. Aan de andere kant voelen veel journalisten, in Nederland vooral na de moord op Pim Fortuyn, dat het gat tussen lezer en burger te groot is geworden. De oplossing is om alle verslaggeving te doen vanuit de vraag: wat is de relevantie voor de lezer? Berichtgeving over gevaren en risico's wordt op maat gesneden omdat die relevant wordt geacht. Of de media soms niet wat te dicht op de lezer (en kijker) zitten, is een discussie die nauwelijks wordt gevoerd. Het zou wat flauw zijn om de media daarmee meteen te beschuldigen van sensatiezucht. De lezer en kijker nemen nieuws over al dan niet vermeend gevaar gretig af. Ik kan me nog een ingezonden brief in het NRC *Handelsblad* herinneren over de magere aandacht voor een gezinsdrama die week. De krant verantwoordde zich met de mededeling dat het een groot persoonlijk drama betrof, dat echter geen groot nieuws was. Dit soort incidenten kwam vaker voor. Deze reactie werd daarop door enkele lezers als koel en afstandelijk bestempeld, terwijl de krant feitelijk gelijk had. De burger lijkt een onstilbare honger te hebben naar meebeleven van drama, zie de populariteit van stille tochten. Nieuwe media stellen de burger daarnaast meer dan ooit in staat om leed live via Twitter en andere social media te volgen en becommentariëren. Afschuw, verontwaardiging en woede worden op blogs geventileerd.

De continue blootstelling aan informatie over vermeende risico's leidt tot onrust bij de burger. Wat wordt er door de politiek met die onrust gedaan? Hoe vertaalt dit ongenoegen, deze angst, zich in beleid? De meest voor de hand liggende en zichtbare reactie is het verwoorden van deze angst. In de landelijke verkiezingen van 2010 waren niet de gevolgen van de kredietcrisis dominant, maar veiligheid, al dan niet veroorzaakt door de vermeende massa-immigratie. Politieke partijen troeven elkaar af in het signaleren van gevaar en het aandragen van vergaande oplossingen daarvoor. Een paar rotjochies in Gouda werden ineens straatterroristen die door het leger in de benen geschoten moesten worden. Zwartrijders zijn niet alleen mensen die niet hebben betaald voor een trein-, tram- of metrokaartje, maar zijn tuig die de sociale onveiligheid vergroten. Jongens die op straat hangen, verminderen de leefbaarheid van de wijk, vergroten onveiligheidsgevoelens en moeten met samenscholingsverboden verdreven worden.

Negatieve maakbaarheid

Opvallend hierbij is dat één aspect van het vooruitgangsdenken de moderniteit ongeschonden is doorgekomen: het maakbaarheidgeloof. Dit idee, dat door ingrijpen van overheid en het 'maatschappelijk middenveld' de samenleving vormgegeven kan worden, dus maakbaar is, is zeer hardnekkig. Het maakbaarheidgeloof wordt vaak in verband gebracht met het veronderstelde *softe* beleid van de jaren zestig en zeventig. Vooral Den Uyls motto 'spreiding van kennis, inkomen en macht' wordt ermee geassocieerd. Door middel van emancipatie, verheffing en solidariteit zou een rechtvaardige samenleving in het verschiet liggen. Er wordt tegenwoordig wat lacherig gedaan over dit ideaal, maar dat neemt niet weg dat het maakbaarheidgeloof nog springlevend is, al is het wel van kleur verschoten. Ook in rechtse of sociaal-conservatieve hoek vind je veel politici die menen dat door overheidsingrijpen een betere samenleving mogelijk is. Wel is het instrumentarium veranderd, zoals René Boomkens aan het einde van het vorige hoofdstuk treffend opmerkte. De samenleving moet vooruit komen, ja misschien zelfs hersteld worden, door verbieden, straffen, uitsluiten en dat in zo'n vroeg mogelijk stadium. Er is sprake van een negatieve maakbaarheid.

Preventie is daarbij het toverwoord. De overheid wacht niet totdat het misgaat en de schade is aangericht, maar stuurt op bekende risico's. Het is bekend dat roken de kans op longkanker aanzienlijk vergroot, dus probeert de overheid door middel van accijns op tabak het roken te ontmoedigen. Probleemjongeren worden opgespoord voordat ze in delinquentie vervallen, kwetsbare groepen begeleid zodat ze enigszins zelfstandig kunnen leven, kinderen onder toezicht geplaatst voordat ze door hun ouders worden doodgeslagen, alcoholsloten in auto's gebouwd zodat dronken chauffeurs geen ongelukken veroorzaken, toegangspoortjes geïnstalleerd om zwartrijden en de daarmee geassocieerde agressie te voorkomen.

Preventie lijkt gezond verstand, maar de onderliggende logica is ontspoord, meent de Rotterdamse jurist Roel Pieterman. Preventie richt zich op kenbare risico's en bedreigingen. Tegenwoordig wordt volgens hem beleid gemaakt op onkenbare risico's en bedreigingen. Hij noemt dit voorzorg. In de praktijk komt voorzorg terug in het waarschuwingssysteem van de Nationaal Coördinator Terrorismebestrijding (NCTb), dat de mate van terroristische dreiging voor Nederland uitdrukt: kritiek, substantieel, beperkt en minimaal. Maar missen we niet iets? Waar is Geen Bedreiging? Omdat veel risico's tegenwoordig naar hun aard onzeker en deels onbekend zijn, moeten we er altijd van uitgaan dat ze er zijn. Met andere woorden, overheden en organisaties houden ook al rekening met het onkenbare, of er nu concrete aanwijzingen voor zijn of niet. Het is alsof je op een zonnige dag met een paraplu van huis vertrekt: je weet maar nooit. Een extreem voorbeeld is de inval in Irak in 2003 door Amerika, politiek en later militair gesteund door Nederland. Het ging daarbij volgens de Amerikaanse minister van Defensie onder meer om *unknown unknows* waartegen opgetreden moest worden.

Een mooi voorbeeld is ook de overreactie van het Rotterdamse college van burgemeester en wethouders op de dood van de twaalfjarige Gessica, beter bekend als het Maasmeisje, in 2006. Zij werd door haar psychisch gestoorde vader vermoord. De wethouder concludeerde kort daarop dat er volgens inschattingen zesduizend Maasmeisjes in de stad zouden leven. Een groot preventieprogramma werd opgezet, waarbij ouders door middel van dwang en drang in het vizier van jeugdhulpverlening moesten komen en blijven. Blijkbaar is het preventieprogramma bijzonder succesvol geweest. Er zijn in Rotterdam niet massaal kinderen doodgeslagen. Een meer waarschijnlijke verklaring is dat het geschetste risico niet bestond. Maar ondertussen was het wel de drijfveer achter een omvangrijk, duur en indringend preventiebeleid.

Dit extreme preventiedenken heeft zijn opmars gemaakt in een periode waarin de staat erg van gedaante is veranderd. De verzorgingsstaat, die ongeacht de achtergrond, geschiedenis en kenmerken van de persoon individuele schade als werkloosheid, ziekte en ouderdom opvangt, is in de communis opinio van de politiek onhoudbaar gebleken. De overheid raakte in de jaren tachtig en vooral in de jaren negentig in de ban van een neoliberaal uitbestedingspatroon. De staat zou te log zijn om mensen tot ander gedrag te bewegen. Dat werd daarom in toenemende mate aan zelfstandige bestuursorganen (zbo's) en de markt overgelaten. Werklozen moesten in bemiddelings- en ontwikkelingstrajecten worden gestopt. Ziektekostenverzekeraars mochten gaan differentiëren in prijzen. Wie goedkoop leeft, kan zich goedkoper verzekeren.

Wat de staat feitelijk deed, was het uitbesteden van risico's. Niet dat de markt die ineens zou dragen. De risico's kwamen steeds meer op de schouders van de burger zelf te liggen, die zich door middel van de markt daartegen kon verzekeren of beschermen. De burger lijkt dat nog niet zo door te hebben. Bij een groot ongeluk wijst die reflexmatig vaak nog als eerste naar de overheid. Die kan in de uitvoering van beleid vaak weinig doen, maar wel de normen stellen en toezicht houden op naleving daarvan. Die normen, vooral de veiligheidsnormen, worden na ieder incident verder opgeschroefd. Dat is de makkelijkste manier om daadkracht te tonen. Daarnaast moeten de zelfstandige bestuursorganen en bedrijven in toenemende mate laten zien dat ze zich aan die normen houden. Die hebben daarvoor enorme registraties opgetuigd. Alles moet verantwoord, dus vastgelegd worden. Wie de mist in gaat en zich niet aan de regels heeft gehouden, is de pineut. Ook deze zbo's en bedrijven zullen van hun klanten (wij dus) verlangen zich te conformeren aan de regels om risico's te beperken.

De Franse socioloog Alain Slama spreekt in dit verband van een...

... zacht of goedaardig totalitarisme. [...] Heel de bevolking wordt a priori als onverantwoordelijk beschouwd. Iedere burger is verdacht, een potentiële delinquent die zich bij voorbaat dient te verontschuldigen. [...] Veiligheid, hygiëne, gezondheid en duurzaamheid zijn tot ultieme principes verheven. Indien men zich wenst te onttrekken aan het preventieve regiem, laadt men al gauw de verdenking op zich een onverantwoordelijke levenshouding aan te nemen.'

Wie zich niet aan deze *l'état preventif* conformeert, wordt gestraft. Wie ongezond leeft, betaalt een hogere verzekeringspremie. Wie zich misdraagt, krijgt een gebiedsverbod. Wie te lang werkloos is, wordt gekort. Wie zijn kind niet volgens de juiste normen opvoedt, wordt onder toezicht geplaatst. Wie iets illegaals downloadt, verliest zijn internetaansluiting. Wie als schuldenaar staat geregistreerd, krijgt geen lening. Wie geen kaartje koopt, komt überhaupt niet meer de stationshal in.

Er wordt wel eens gezegd dat we in een controlestaat leven en voor zover die er nog niet is, is deze zeker in de maak. Het is echter geen controlestaat die ons wordt opgelegd door een boosaardig regime of een kongsi van grootkapitalisten en snode politici. De controlestaat overkomt ons in zekere mate, bij gebrek aan moed en gezond verstand. Wetenschap, burgers, markt en overheid spelen ieder een rol. Maar het script is zoek en de regisseur heeft de benen genomen. Angstvallig kijken we naar elkaar hoe we nu verder moeten. We reageren instinctmatig en laten ons leiden door angst. Datgene waar we bang voor zijn, verbieden we, drukken we de kop in, houden we zo veel mogelijk buiten de deur.

Sociale sortering

Volgens de Canadese socioloog David Lyon is dat onderscheid maken tussen kansen en bedreigingen niet minder dan het *doel* van surveillance, het beginpunt van de hele informatiecyclus. En zo raakt de cirkel rond. Informatie is nodig voor het ontdekken en voorspellen van risico's. Informatie is nodig om een indicatie te krijgen voor wie risicovol gedrag tentoonspreidt of vermoedelijk zal tentoonspreiden. Informatie is nodig om te bepalen wanneer waar in te grijpen.

Voor wie gaan de toegangspoortjes open en wie moet buiten de veilige zone blijven? Wie wordt extra in de gaten gehouden en wie kan ongestoord zijn leven leiden?

Daar waar de informatiemaatschappij en negatieve maakbaarheid elkaar ontmoeten, ontstaat sociale sortering, een term van Lyon. Individuen worden geprofileerd op basis van hun persoonlijke informatie. Ze worden in hokjes gestopt en efficiënt door de honderden dagelijkse besluitvormingsprocessen gepompt. Wie informatie heeft, die informatie kan verrijken en combineren, en daarmee toekomstig gedrag kan voorspellen, die kan de controle houden. Of denken te houden. Wat deze sortering in de praktijk voor ons betekent als burger en consument, en hoe die ons dagelijks leven en bovenal onze levenskansen beïnvloedt, bekijk ik in de komende hoofdstukken. We beginnen bij het begin, bij dat wat bij de meesten van ons het dierbaarst is: onze kinderen.

5

Het geprofileerde kind

De meest problematische groep kinderen en gezinnen wordt onmiddellijk opgespoord. Hun problemen gaan we met vereende krachten oplossen. In een persoons- en gezinsgerichte aanpak en dwars door alle instituties heen. Veelal met inzet van een gezinscoach. Deze meest problematische jongeren en gezinnen worden zo weer op de rails gezet.

Uit het Rotterdamse actieplan Ieder Kind Wint *van april 2007*

Savanna

Het is donker op het verlaten bospad, vlak bij het Twentse Holten. De maan hangt achter de wolken. Het heeft de hele dag gemiezerd. Een auto rijdt over de natte modderweg. Twee agenten nemen poolshoogte. Voorin zit Mario. Naast hem Sonja, zijn echtgenote. Op de achterbank zit de vier maanden oude Rowena ingesnoerd in een kinderstoeltje. In de kofferbak ligt haar driejarige zus Savanna. Dood.

De feiten van Savanna's leven zijn ronduit treurig. Sonja's eerste twee kinderen zijn al uit huis geplaatst als Savanna op maart 2001 wordt geboren. Sonja behandelt haar dochter zoals ze vroeger door haar eigen moeder behandeld werd. Ze slaat. Ze sluit haar urenlang op in kleine kastjes. Zet haar onder de koude douche en hongert haar bijna uit. Als Savanna een paar weken is, wordt ze voor vijf maanden uit huis geplaatst. Sonja krijgt een nieuwe kans. Helaas gaan de mishandelingen verder. Savanna groeit geïsoleerd op. Ze heeft geen vriendinnetjes. Ze gaat niet naar de peuterspeelzaal. Thuis komen nauwelijks mensen over de vloer. Af en toe komt huisvriend Reffles langs. Die mishandelt Savanna ook.

Het gezin staat sinds februari 2003 onder toezicht van Mieke, een voogd van Bureau Jeugdzorg Noord-Holland. Zij is een hulpverlener, maar bovenal een 'regisseur' van zorg en informatie. En aan informatie is geen gebrek. Na de geboorte van Rowena, in mei 2004, gaat het slecht met Sonja. Ze slikt haar angstremmers niet meer. Andere hulpverleners dringen aan op uithuisplaatsing van Savanna. Of desnoods dagopvang voor het kind, om iedereen een beetje te ontlasten. Mieke wil niet ingrijpen om de relatie met de moeder goed te houden, ook al signaleert ze blauwe plekken op Savanna's lijfje en ziet het kind er volgens haar bleek uit. De voogd is op de hoogte van Sonja's traumatische verleden en de moeilijkheden met haar eerste twee kinderen. Ze vindt die informatie 'beperkt relevant voor haar werk'. Savanna blijft thuis bij haar moeder.

Op 20 september 2004 gaat Sonja gruwelijk over de schreef. De aanleiding is een ruzie waarvan zij zich later niet eens de inhoud kan herinneren. Ze deed een washandje in Savanna's mond en bond dat vast met tape. Zij liet haar anderhalf uur alleen, ook al wist zij heel goed dat haar dochtertje verkouden was en niet goed door haar neus kon ademen.

Voor deze misdaad krijgt Sonja zes jaar cel gevolgd door dwangverpleging. Mario krijgt twee jaar cel met tbs. Huisvriend Reffles wordt veroordeeld tot 120 uur werkstraf met drie maanden voorwaardelijke celstraf. Ook gezinsvoogd Mieke wordt vervolgd. Een unicum. De rechtbank concludeert in 2007 dat de 'verdachte als gezinsvoogd van Savanna niet al datgene heeft gedaan wat van haar in die situatie kon en mocht worden verwacht'. Toch werd ze vrijgesproken. De 'strafrechtelijke causaliteit' met het overlijden van Savanna ontbreekt. Het bestuur van Bureau Jeugdzorg Noord-Holland stapt op na een vernietigend rapport van de Inspectie Jeugdzorg.

Nationale kwestie

Het vonnis is geveld, recht is gesproken, maar de geest is uit de fles. De dood van Savanna is uitgegroeid tot een nationale kwestie. De ene na de andere schokkende mishandelingszaak komt aan het licht. Het meisje van Nulde, het Maasmeisje Gessica. De vader die zijn huis in Roermond in de brand steekt, waarbij zes van zijn kinderen overlijden. Daarbij lijkt telkens een leger aan hulpverleners langs de zijlijn toe te kijken terwijl gezinnen totaal ontsporen.

Die hulpverleners klagen op hun beurt over een te hoge werkdruk. Zij vinden dat ze te veel gezinnen moeten helpen en geen tijd meer hebben om een vertrouwensrelatie op te bouwen. Het is onduidelijk waar in het oerwoud van instanties de verantwoordelijkheden liggen en waar men informatie kan vinden. Kinderrechters zien dat hulpverleners hun weg niet meer kunnen vinden door de bureaucratie. Artsen en docenten zijn boos omdat met hun signalen over kindermishandeling niets wordt gedaan. De hoofdinspecteur voor de jeugdgezondheidszorg en hoogleraren hekelen de geringe professionaliteit van de jeugdhulpverlening: er wordt te weinig gebruikgemaakt van wetenschappelijk getoetste interventies en te veel vertrouwen gehecht aan onbewezen benaderingen en begeleidingsmodellen. In de media eisen commentatoren en opinievormers op hoge toon meer maatregelen en daadkracht van de overheid en meer persoonlijke moed en besluitvaardigheid van hulpverleners.

De discussie wordt als snel verbreed, want de Nederlandse jongeren en hun opvoeders lijken koers- en stuurloos: verwaarlozing, comazuipen en drankketen, leer- en gedragsproblemen, drugs, breezer- en kelderseks, gameverslaving, hangproblematiek, schooluitval. Allerlei problemen die ertoe kunnen leiden dat kinderen niet 'tot een evenwichtige volwassenheid' komen. Op school kunnen steeds minder kinderen meekomen. Drukke kinderen hebben ADHD, stuurse kinderen PDD-NOS. Verlegen kinderen moeten met remedial teaching uit hun schulp getrokken worden.

100.000

Politici springen massaal op het onderwerp kindveiligheid. Het is een aantrekkelijk onderwerp. Mediageniek. Spreekt veel mensen aan. Het levert weinig politieke strijd op, want niemand is vóór mishandeling en iedereen wil een harde aanpak van slechte ouders en ontspoorde kinderen. En er zit een gezonde logica in preventie: beter nu ingrijpen dan straks de kosten van delinquentie moeten betalen.

Er wordt daadkracht getoond. De eerste Nationale Prevalentiestudie Mishandeling Kinderen en Jeugdigen brengt in kaart hoe groot het probleem van mishandeling nu eigenlijk is: 100.000 kinderen per jaar. Laat dit getal even op je inwerken. Ik kom hier later op terug. Het ene na het andere actieplan wordt gelanceerd om de verschillende instanties beter te laten samenwerken in zogenoemde ketenzorg, waarbij de muren tussen deze instanties doorbroken worden en men zich rond personen en problemen organiseert. Onder aanvoering van de bevlogen 'gezinsminister' André Rouvoet krijgt iedere gemeente een Centrum voor Jeugd en Gezin. Er gaat meer geld naar de jeugdhulpverlening. Wachtlijsten worden weggewerkt. Bevoegdheden van voogden verruimd, de rechten van ouders ingeperkt. De autonomie van hulpverleners wordt aan banden gelegd door middel van protocollen en risico-instrumenten, die een koers voor de te nemen stappen uitleggen. Ouders en hulpverleners moeten eerder gaan melden en worden daarin aangemoedigd door middel van tv-spotjes en smartphone-apps, of gedwongen door middel van meldplichten. Geen kind mag meer ongezien blijven. Verwijsindexen en elektronische dossiers brengen alle signalen, 'niet-pluisvermoedens' en risico's in kaart. Het surveillerende net is fijnmazig.

Verwachtingen

Opvallend is dat de overheid, politici en hulpverleners van meet af aan grote verwachtingen hebben van databases en automatisering. Als er meer informatie beschikbaar is en de beschikbare informatie beter gedeeld wordt, dan is er al een hele slag gemaakt. In korte tijd is daarom een Verwijsindex Risicojongeren opgetuigd, waarin hulpverleners zorgsignalen kunnen melden. Komen er over een jongere meer meldingen binnen, dan krijgen de hulpverleners een seintje zodat ze de zorg beter kunnen afstemmen. Het idee is dat mishandeling, delinquentie, opvoedproblemen, schoolverlaten en gezondheidsproblemen eerder opgemerkt worden. De verwijsindexen zijn regionaal ingesteld, maar landelijk aan elkaar gekoppeld en gelden voor alle jongeren tot 23 jaar. Verschillende kabinetten probeerden nog een aparte verwijsindex voor Antilliaanse jongeren te realiseren, maar de grondwet, in het bijzonder het discriminatieverbod, gooit telkens roet in het eten.

Daarnaast gaan steeds meer steden aan de slag met het politiesysteem Prokid. Jongeren die in contact komen met de politie, als dader of getuige, worden in dat systeem opgenomen. Als een kind bijvoorbeeld een auto-inbraak ziet gebeuren, noteert de agent zijn naam en adresgegevens in het systeem. Ze krijgen een risicoscore: wit, geel, oranje of rood. Als een kind oranje of rood scoort, wordt het extra in de gaten gehouden of op een hulptraject gezet. Prokid is gekoppeld aan andere databanken, zodat ook informatie over bijvoorbeeld criminele gezinsleden bekend is. In het politiekorps Gelderland-Midden waren na een proefjaar drieduizend kinderen geregistreerd, drie procent van het totale aantal kinderen in de regio.

Steeds meer scholen maken gebruik van het Elektronisch Leerdossier. Hierin staan niet alleen de schoolresultaten van de kinderen, maar ook observaties van de leerkrachten en fysieke en psychosociale gegevens die van belang zijn voor de school. Leerlingen nemen dit dossier hun hele leerloopbaan mee, tot aan de universiteit. Het is volgens een ontwikkelaar de bedoeling dat het dossier bij iedere schoolwisseling wordt geschoond van irrelevante informatie. Wat irrelevante informatie is, bepalen de scholen.

Voor baby's en peuters op het kinderdagverblijf zijn er meerdere volgsystemen op de markt, softwareapplicaties die vrijwel geautomatiseerd ingevoerde risicofactoren wegen en aan de hand daarvan adviezen spuien aan begeleiders. De leerlingvolgsystemen vergelijken bijvoorbeeld testresultaten met landelijke gemiddelden van het CITO. Kinderen met een ontwikkelingsachterstand of die anderzins 'afwijken van de curve' worden als het goed is eerder opgemerkt en krijgen extra ondersteuning. Dit ter voorkoming van achterstanden en deviant gedrag op latere leeftijd. Een beetje kind wordt voor zijn twaalfde zo tientallen keren getest. Formeel gezien hebben ouders altijd recht op inzage in dit soort dossiers, maar geregeld weigeren kinderdagverblijven en scholen, omdat de docenten vrij in het dossier willen kunnen schrijven.

Het Elektronisch Kinddossier – tegenwoordig Digitaal Dossier Jeugdgezondheidszorg genoemd – is het meest bekende en meest ingrijpende informatiesysteem. Van ieder kind wordt tot het negentiende jaar veel informatie bewaard over de fysieke, cognitieve en psychosociale ontwikkeling. Dat zijn ogenschijnlijk feitelijke waarnemingen zoals gewicht, lengte, lichamelijke kenmerken en levensstijl (of er bijvoorbeeld thuis wordt gerookt). Maar ook subjectieve informatie over het kind en de ouders wordt bijgehouden. Of de leefsituatie veilig is. Of de ouders in hun jeugd zijn mishandeld. De levensovertuiging van het gezin. Of er ingrijpende gebeurtenissen hebben plaatsgevonden. Of er open water in de buurt van het huis is. Of de speelvoorzieningen wel adequaat zijn. Informatie over het zelfbeeld van ouders en het kind. De opvoedstijl. Eventuele afwijkende subculturele normen en waarden, of normen en waarden die juist in overeenstemming zijn met de dominante cultuur. Of er sprake is van 'ongepigmenteerd haar langs de labia' (schaamlippen). De gegevens worden na de negentiende verjaardag nog vijftien jaar in slapende toestand bewaard, al zijn er plannen om het dossier langer open te houden.

Papieren dossier?

Volgens veel hulpverleners en ambtenaren is het Elektronisch Kinddossier enkel een digitale versie van het papieren dossier. Maar dat is niet waar. De onderwerpen waarnaar hulpverleners kunnen vragen, staan in de zogenoemde Data Basis Set, die door verschillende instanties in de jeugdgezondheidszorg is opgesteld. Het is een gestandaardiseerde lijst met 1100 invulvakken. Die standaardisatie maakt het mogelijk om geautomatiseerd risicoprofielen op te stellen. In enkele steden, zoals Rotterdam, gebeurt dat al. Zodra er informatie aan het dossier wordt toegevoegd, weegt een algoritme de nieuwe informatie en wordt er een inschatting gemaakt van het bestaande risico. Kinderen krijgen daarom altijd een kleurtje in het dossier: rood, oranje, of geel. Rode kinderen worden direct bezocht. Bij oranje kinderen zijn de hulpverleners meer waakzaam. Gele kinderen zijn in orde.

Het Elektronisch Kinddossier is in eerste instantie een medisch dossier dat alleen toegankelijk is voor de jeugdgezondheidszorg. Er zijn echter ook veel partijen die in het kader van de jeugdzorg – die vooral kijkt naar de veiligheid van risicokinderen – een grote informatiebehoefte hebben, zoals maatschappelijk werk, politie en buurtregisseurs. Het is dan ook niet verwonderlijk dat de druk om het Elektronisch Kinddossier voor meer partijen open te stellen, groot is. Dat is een sluipend proces. De vier grote steden zijn al begonnen om het Elektronisch Kinddossier in tweeën te splitsen: een grote en een kleine variant. In de kleine variant staat alle medische informatie en die valt onder het beroepsgeheim. In de grote variant staat de rest en die moet op termijn toegankelijk worden voor veel meer beroepsgroepen, zoals jeugdwerkers, maatschappelijk werk, jeugdzorg, politie en docenten. Voorlopig mag het nog niet van het ministerie, maar de vier steden voeren een lobby om de splitsing tot stand te brengen: ze hebben al flink in de soft- en hardware geïnvesteerd.

Ook worden steeds meer systemen aan elkaar gekoppeld,

zodat een nog rijker beeld ontstaat van een kind en zijn gezin. In Rotterdam wil de gemeente het Elektronisch Kinddossier koppelen aan de leerlingvolgsystemen, schoolmaatschappelijk werk, de jeugd-ggz en de jeugdzorg. Volgens onderzoekster Simone van der Hof van de Universiteit van Tilburg is het de bedoeling om op basis hiervan te gaan differentiëren in het aantal contactmomenten met ouders en kinderen. Risicokinderen krijgen dan meer contactmomenten dan kinderen met wie volgens het systeem niets aan de hand is. Volgens de systemen zouden alleen al in Rotterdam 31.000 kinderen leven die een verhoogd risico lopen op ontwikkelingsproblemen en 6000 die te kampen hebben met een acute bedreiging. Deze kinderen moeten uiteraard nauwgezet gevolgd worden.

Dit toenemend aantal informatiesystemen en het groeiende digitale netwerk, wordt ook met steeds meer informatie gevoed. De laatste jaren is er een felle en terugkerende discussie over de meldplicht. Het idee is dat alle beroepsgroepen die met kinderen te maken hebben, een wettelijke verplichting krijgen om 'niet-pluis-gevoelens' of vermoedens van mishandeling te melden. De lijst van beroepsgroepen en instanties die al moeten melden, wordt in snel tempo langer. Ambulancebroeders bijvoorbeeld. Tijdens de hulpverlening bij iemand thuis, moeten ze ook speuren naar mogelijke problemen in de opvoeding of verzorging van kinderen. Weinigen zullen een ambulancebroeder buiten de deur houden. De handhavers van de Haagse Pandbrigade, die we nog uitgebreid in hoofdstuk 8 tegenkomen, controleren op overbewoning, maar moeten sociale misstanden bij een centraal gemeentelijk loket aankaarten. Huisartsen moeten een heel goed excuus paraat hebben als blijkt dat ze een vermoeden van mishandeling voor zich hebben gehouden. Als het aan de Nederlandse Maatschappij tot Bevordering der Tandheelkunde ligt, gaan tandartsen ook op mishandeling letten. Op bloeduitstortingen in het gehemelte, afgestompte melktandjes, bijtwonden in de wang en gehavende lippen, want die kunnen duiden op mishandeling. Vermoedens worden gemeld. TNO ontwikkelde een risicodetectiemodel programma voor kraamverzorgenden om verdachte situaties te herkennen en te melden.

Arbitrair

De hierboven beschreven systemen hebben veel media-aandacht gekregen en zijn uitgebreid bediscussieerd. Gek genoeg is er in al die discussies weinig aandacht geweest over wat er precies gemeld moet worden. Of anders gezegd, wat die risico's voor kinderen nu precies zijn. Wat blijkbaar weinig mensen opvalt, is dat die risico's vaak heel breed zijn gedefinieerd. Wat zijn bijvoorbeeld 'niet-pluis-gevoelens'? Ik krijg alleen al bij dat woord de kriebels. Die gevoelens slaan meer op het innerlijke leven van de hulpverlener, dan op feiten gegronde signalen. Bij nadere beschouwing blijken vaak genoemde risicofactoren dan ook wetenschappelijk matig onderbouwd te zijn. Daarnaast is een overmatig gebruik van risicoscores en -profielen minder objectief dan het lijkt. De normen waarmee men werkt, zijn nog steeds tamelijk arbitrair. Maar laat ik eerst de aard van de risico's tegen het licht houden.

De lijst met meldcriteria voor de Verwijsindex Risicojongeren is begin 2009 door de beroepsgroepen zelf samengesteld. Alle hulpverleners mochten hun zegje doen en dat is terug te lezen. Zo moeten hulpverleners waakzaam zijn op woonomgeving, gezondheid van de kinderen, opvoeding en gezinsrelaties, cognitief functioneren en de sociale omgeving van het kind. Wat daar allemaal onder valt, vormt een lange lijst, maar het is de moeite waard om die door te nemen. Ga voor de grap eens na welke factoren op jou van toepassing zijn. De jeugdige woont in een te krap huis, het huis vormt een onveilige omgeving, er wordt niet genoeg geïnvesteerd in algemeen gangbare uitgaven. Het gezin heeft financiële problemen of is afhankelijk van een uitkering, leeft in een onveilige buurt, verhuist vaak of heeft geen vaste woon- of verblijfplaats. Er zijn fysieke of zintuiglijke problemen en handicaps, sociale, emotionele, cognitieve of gedragsproblemen, of een jongere krijgt te veel of te weinig medische verzorging. De ouder of verzorgende is gehandicapt, of leidt aan ernstige psychische of gezondheidsklachten. Ook als het gezin te maken heeft met ernstige voorvallen, de zogenoemde *major life events*, kan een melding redelijk geacht worden. Bij opvoeding en gezinsrelaties zijn onenigheid of een problematische relatie tussen ouders en kind een risicofactor. Wanneer ouders overbelast zijn of als er problemen ontstaan na verandering van de gezinssamenstelling, als een ouder extra hulpverlening nodig heeft of een gezinslid betrokken is bij criminele activiteiten, is melding op zijn plaats. Als de jeugdige problemen heeft met cognitief functioneren, leren en schoolprestaties is sprake van een verhoogd risico op het domein onderwijs en werk. Tot slot de sociale omgeving. Als het kind geen hobby's of interesses heeft, het sociale netwerk van kind of ouders klein is, ze geen gebruik maken van sociale voorzieningen en zorgmijders zijn, als het gezin of kind gediscrimineerd wordt, het kind of zijn ouders gedragsproblemen vertonen in hun sociale omgeving, het kind of een ander gezinslid betrokken is bij criminele activiteiten en als de jongere eenvoudig beïnvloedbaar is, dan kan dat aanleiding geven tot melding.

Zijn al deze risico's echter wel reële risico's? Wie zegt dat als een kind door een gehandicapte ouder wordt opgevoed, hij een grotere kans heeft op problemen later? Wie zegt dat wanneer je in armoede opgroeit, de kans op mishandeling groter is? Ton Monasso, consultant bij onderzoeks- en adviesbureau Zenc, heeft de onderbouwing van risico's in kaart gebracht. Hij schetst een ontnuchterend beeld.

> *Als je risicofactoren gebruikt, moet daar op zijn minst valide wetenschappelijk onderzoek achter zitten. Dat is er niet in Nederland. Er is nooit goed onderzoek gedaan op basis van grote datasets naar Nederlandse risicofactoren. De factoren die worden genoemd, zijn vaak gebaseerd op Amerikaans onderzoek, waar een aantal interpretatieslagen op is losgelaten. Of het is datamining geweest. Het is geen onderzoek geweest volgens de zuivere regels van de statistiek. Dat weet men donders goed in Nederland, maar verwijzingen daarnaar worden vaak weggelaten. Ik vraag me sterk af of je die risicofactoren wel zo kunt vertalen naar een ander land. Een laag inkomen in de Verenigde Staten betekent iets heel anders dan een laag inkomen in Nederland. Wat bij ons de onderkant is, het bijstandsniveau, telt daar misschien helemaal niet als laag.*

De vraag is ook wat een risicofactor over iemand zegt. 'Ik hoorde van een hoogleraar pedagogiek wiens collega net moeder was geworden. Ze was 23 jaar oud en dat valt nog in de categorie tienerzwangerschap. Die krijgt allemaal extra telefoontjes en brochures van mensen die vragen of ze geen extra hulp nodig heeft. Terwijl zij bijna gepromoveerd is.' Een probleem zit volgens Monasso in de vertaling van groepskenmerken naar individuele consequenties. 'Omdat iemand tot een groep behoort en er statistische verbanden zijn op groepsniveau, en dan heb je het nog steeds over kansen en niet over causale verbanden, ga je een individu anders behandelen.' En het gaat altijd over kansen en niet over feiten.

Zelfs als je vier risicofactoren hebt, en daar moet je al veel voor doen, is de kans nog steeds 25 procent dat er daadwerkelijk problemen optreden. In driekwart van de gevallen is er niets aan de hand. Je hebt het over kansen en de oordelen die aan sommige meldingen worden vastgeplakt en die zijn al snel vele malen groter dan gerechtvaardigd is. Als je ook kijkt naar de gedragspsychologie, blijkt daaruit dat mensen over het algemeen slecht in staat zijn om objectief met kansen om te gaan, zelfs na trainingen. De menselijke geest is daar niet op gebouwd en de menselijke geest moet wel continu afwegingen maken over individuele gevallen. Dus in die zin zou ik daar ongelooflijk mee uitkijken.

Grensgevallen

Als je risico's gaat benoemen, loopt je ook tegen grenzen aan. Wanneer grijp je in en wanneer niet? Op welk punt wordt een risico ontoelaatbaar? In Rotterdam loopt een kwart van de kinderen 'enig risico' op opvoedingsproblemen. Moet je die allemaal op een hulpverleningstraject zetten? Zijn daar de capaciteit en het geld wel voor? Nu al zijn de wachtlijsten voor jeugdzorg nauwelijks weg te werken. Hoe zit het met die drieduizend kinderen die in en rond Arnhem in ProKid een stevig risicoprofiel hebben? Wie bepaalt de verschillen tussen de risicoprofielen? Selecteer je te streng, dan zie je misschien kinderen over het hoofd. Zijn de criteria te ruim, dan raakt de hulpverlening verstopt.

Profielen aan kinderen hangen en ze daarmee indelen in

categorieën, is niet onschadelijk. Hulpverleners concentreren zich op een bepaalde groep jongeren en gezinnen, en zullen minder toezicht houden op de rest. Wie problematisch gedrag zoekt bij risicogezinnen, zal problematisch gedrag vinden. Stel dat een jong meisje een moeizame en gespannen relatie heeft met haar moeder. Bij een gezin dat niet onder toezicht staat, wordt dat niet opgemerkt. Vaak leidt zo'n situatie niet tot heel grote problemen – slechts in een enkel geval escaleert het tot een onhoudbare situatie. Bij een gezin dat wel onder toezicht staat, is het een risicofactor die weggenomen moet worden en wordt er waarschijnlijk sneller een hulpverleningstraject in gang gezet. Als je de pech hebt tot een verhoogde risicogroep te horen, leef je onder een vergrootglas.

De vraag is ook hoeveel verantwoordelijkheid je op de schouders van mensen kunt leggen. Ik heb jarenlang in de Utrechtse probleemwijk Overvecht gewoond. Het is een moeilijke wijk om in op te groeien. Een kind dat zelfstandig buiten wil spelen, moet stevig in zijn schoenen staan. En ja, deze kinderen lopen dus risico. Maar is dat de schuld van de ouders? Of van de buurt? Of van de gemeente? Het wonen in een slechte wijk is een belangrijke risicofactor die mede bepaalt of je extra in de gaten gehouden wordt. Dat klinkt niet echt eerlijk. Dat geldt ook voor sommige andere factoren. In hoeverre moet je een problematisch verleden van de ouder laten meewegen? Of een handicap? Wie niet onder controle wil staan, kan maar beter welvarend en gezond zijn.

Wat in de discussies vaak vergeten wordt, is de veranderende machtsverhouding tussen hulpverleners en ouders. Officieel kunnen ouders zich aan het zicht van de overheid onttrekken, maar wie niet meedoet, laadt al snel de verdenking op zich 'iets te verbergen te hebben'. In Rotterdam wil men ouders dwingen om naar het consultatiebureau te gaan op straffe van boetes. De overheid redeneert dat wanneer er iets fout gaat – de overheid onterecht ingrijpt – er juridische paden zijn voor de burger om zijn gelijk te halen. Naar aanleiding van een hernieuwd debat over de meldplicht, vertelde een PVV-Kamerlid aan NRC *Handelsblad*:

Natuurlijk is er het risico van onterechte beschuldigingen, maar als je daarvan uitgaat, heb je heel weinig vertrouwen in de beroepsgroep. Mensen die met kinderen werken, melden heus niet elk blauw plekje argeloos. Stel dat er gigantisch veel meldingen worden gedaan en die blijken allemaal waar te zijn, dan is dat toch prima? Als het merendeel loos alarm blijkt te zijn, dan schiet de kennis over kindermishandeling bij werknemers tekort. Dan ligt daar een taak.

En als het in de meldingen goed gaat, is het maar te hopen dat de hulpverleners geen fouten maken. Een administratieve fout is zo gemaakt. Mijn zwager en vrouw kregen bijvoorbeeld na de geboorte van hun derde kind een huisbezoek van het consultatiebureau. Nee, alle gegevens waren al bekend, dus er hoefden geen lange formulieren ingevuld te worden, stelde de verpleegkundige. Gaande het gesprek bleek echter dat de verpleegdkundige dacht dat mijn schoonzus Marokkaans was. Dat is ze niet. In de 'digitaliseringsslag' van de papieren dossiers bleek de uitzendkracht een verkeerde koppeling te hebben aangebracht. De verpleegkundige deed er wat blasé over, blijkbaar was het niet de eerste keer. Maar mijn schoonzus moest wel zelf actie ondernemen om haar dossier te kunnen controleren.

Equality of arms

Dat is overigens niet altijd even makkelijk. Op papier zijn er klachtenprocedures en correctiemechanismen genoeg. Maar ouders kunnen al snel in een kafkaësk web terechtkomen, waar zeker geen sprake is van een *equality of arms*. Want hoe werkt de praktijk? Stel dat Bureau Jeugdzorg het (onterecht) nodig vindt om je kind onder toezicht te plaatsen. Als je het daar niet mee eens bent, kun je een klacht indienen bij het Bureau Jeugdzorg zelf. Een ondertoezichtstelling (ots) komt voor de kinderrechter. De rechter is voor zijn informatie volledig afhankelijk van wat de gezinsvoogd van Bureau Jeugdzorg aanlevert. Hij zal waarschijnlijk ook de ouders horen, maar hun verklaringen zijn juridisch niet van belang. De rechter kan die verklaringen hooguit meewegen: hij kijkt in eerste instantie naar het belang van het kind en wat de gezinsvoogd daarover vertelt. Wie ten onrechte met Bureau Jeugdzorg te maken krijgt, moet maar hopen dat hij een hele goede en capabele gezinsvoogd heeft, die niet al te risicomijdend opereert. En dan is er ook nog een psychologisch aspect dat vaak onderbelicht raakt. Ja, er zijn soms correctieprocedures, maar die duren lang. Een bureaucratie heeft geen slapeloze nachten. Radeloze ouders wel.

Steeds meer gezinnen krijgen met de repressieve arm van de overheid te maken. Tot 2005 bleef het aantal ondertoezichtstellingen redelijk stabiel, zo rond de 30.000 per jaar. Daarna steeg het aantal tot bijna 60.000 in 2009. Die stijging moet met enige argwaan bezien worden, zeker omdat het in de procedures geregeld misgaat. In februari 2010 onthulde *Trouw* bijvoorbeeld dat een op de tien meldingen van kindermishandeling onterecht is. Nog eens vijftien procent van de meldingen zijn niet te bevestigen. In sommige gezinnen zal zeker iets mis zijn, maar bij elkaar is het een mix van schuldigen en onschuldigen. Ze worden echter wel allemaal onderzocht en de meldingen worden wel geregistreerd. Voor gezinnen kan een foute melding zeer ingrijpend zijn. Een Zutphens echtpaar raakte bijvoorbeeld zijn pasgeboren baby kwijt omdat de plaatselijke Jeugdzorg mishandeling vermoedde. De baby had een gebroken sleutelbeen dat, achteraf, veroorzaakt bleek door de zware bevalling. Met de ouders werd niet gepraat. De baby werd gewoon weggehaald, vertelt *Trouw*. Het webmagazine *Ouders Online* verzamelt ook al lange tijd verhalen van ouders die onterecht met Bureau Jeugdzorg in botsing zijn gekomen. Een vrouw vertelt aan de juf dat ze het zwaar heeft omdat haar man is weggelopen. Ze heeft per ongeluk eens een beschimmeld boterhammetje meegegeven. Daarop volgde een melding bij het Advies- en Meldpunt Kindermishandeling. Een echtpaar kwam met een peuter met een gebroken armpje naar het ziekenhuis en mocht niet bij de behandeling blijven omdat ze verdacht werden van mishandeling, wat niet het geval was.

Justine Pardoen, hoofdredacteur van *Ouders Online*, adviseert lezers om niet automatisch naar Bureau Jeugdzorg te stappen als er problemen zijn, maar liever naar een onafhankelijke psycholoog te gaan. Zo kunnen ouders vermijden dat er allerlei informatie in een digitaal dossier belandt waarmee ze later weer in de problemen kunnen komen. Ook adviseert ze ouders om niet alles op het consultatiebureau te vertellen om te voorkomen om een stempel 'risicogezin' te krijgen. 'We signaleren dat er iets veranderd is sinds de dood van Savanna en het Maasmeisje: alles is erop gericht om nog meer kindermishandeling te voorkomen,' schrijft Pardoen in een hoofdredactioneel commentaar. 'En terecht! Maar we willen wel dat er geluisterd wordt naar ouders die aan den lijve ondervinden wat de schadelijke gevolgen zijn van het huidige beleid. Dat beleid veronderstelt namelijk dat álle ouders potentiële daders van kindermishandeling zijn, tot het moment dat ze bewezen hebben dat niet te zijn. Alle zorgprofessionals moeten kijken door die bril en mogen taken die daarbij horen, niet weigeren.'

Pardoen krijgt veel kritiek van hulpverleners, maar er is ook bijval. De meest gehoorde tegenstander van al dit meten, weten, voorspellen en beheersen is misschien wel Jos Lamé, directeur van de Riagg in Rijnmond. Hij is al jarenlang in een strijd verwikkeld met het stadsbestuur van Rotterdam, omdat hij weigert de plaatselijke meldcode te ondertekenen. De wethouder probeerde door intrekking van de subsidie aan de Riagg Lamé op andere gedachten te brengen, maar de rechter floot de wethouder in 2011 terug. Het is op zich niet zo verwonderlijk dat Lamé de woede van politici op zijn hals haalt, want met zijn boodschap win je geen kiezers. Het is de moeite waard om hem wat langer aan het woord te laten. 'De overheid suggereert dat er een juiste oplossing is voor de problemen, maar dat is een mythe,' vertelt hij in 2008 aan NRC *Handelsblad*.

> *Dat is pure volksverlakkerij, een bewijs van de populistische wind die er waait in Den Haag. Het aantal Maasmeisjes zal nooit noemenswaardig afnemen. We moeten onder ogen zien dat geweld een enorm probleem is dat niet weg te poetsen is. [...] Het is een taboe om te aanvaarden dat er kwaad is in de samenleving. In wezen hebben we geen controle over het complexe leven van mensen. Het is waar dat we nu niet alle kinderen en probleemgezinnen in beeld hebben. Maar dat is wel goed. We kunnen niet iedereen hulp bieden. De Riagg's zitten bomvol. Is het ministerie bereid ons budget te verzesvoudigen? We gaan van alle kinderen in een Elektronisch Kinddossier allemaal informatie*

verzamelen, ook van mensen voor wie dat helemaal niet nodig is. Terwijl de echt ernstige problemen heel moeilijk op te lossen zijn. Dat verandert het Elektronisch Kinddossier niet. Mensen moeten allerlei gegevens inleveren waarvan de waarde uiterst dubieus is. Het is heel gevaarlijk dat te doen, omdat die informatie misbruikt kan worden. Mensen moeten weigeren hieraan mee te werken. Ik verzet met tegen de uniformiteit. Het is niet zo dat alle informatie altijd voor iedereen relevant is. Iedereen heeft zijn eigen informatiebehoefte. Hulpverleners kunnen gaan zeggen: 'Mij valt niets te verwijten want ik heb signalen die op problemen kunnen duiden gemeld.'

Ik sta wat langer stil bij Lamé, want ik heb het idee dat hij nog wel eens gelijk kan hebben. De stad Rotterdam kondigde vijf jaar terug met veel bombarie een 'oorlog tegen huiselijk geweld' aan. Een oorlog waarbij alle middelen mochten worden ingezet, want het lot van 'zesduizend Maasmeisjes' was in het geding. We kunnen constateren dat die stelling over 'zesduizend Maasmeisjes' op zijn zachtst gezegd wat overdreven was. Maar er is ook een andere indicatie dat er geen *quick fix* is voor het probleem van kindermishandeling. Herinner je je de prevalentiestudie aan het begin van dit hoofdstuk, waarin sprake was van honderdduizend mishandelde kinderen? Vijf jaar later, eind 2011 is er een tweede onderzoek gepubliceerd, zodat we eindelijk een vergelijking kunnen maken. De Centra voor Jeugd en Gezin, de Verwijsindexen, de Elektronische Leer- en Kinddossiers hebben wel degelijk iets opgeleverd: eindelijk meer meldingen. Maar één belangrijk iets hebben ze nog niet voor elkaar gekregen: er worden in Nederland jaarlijks nog steeds zo'n honderdduizend kinderen mishandeld.

Gelukkigste kinderen ter wereld

Die honderdduizend is een schokkend aantal. Ook de volgende cijfers over de groei van het aantal kinderen dat in aanraking komt met jeugdhulpverlening zijn schrikbarend. Ze zijn afkomstig van Jo Hermanns, deeltijd hoogleraar opvoedkunde aan de Universiteit van Amsterdam en bijzonder hoogleraar op de prestigieuze Kohnstammleerstoel.

Voorzieningen	**Aantal kinderen in 2006 of 2007, tenzij anders vermeld**	**Toename**	**Gemiddelde toename per jaar**
Aanmeldingen Bureaus Jeugdzorg	82.268	Sinds 2004: 58%	19%
Geïndiceerde jeugdzorg	77.827	Sinds 1997: 104%	10%
Contacten Advies- en Meldpunt Kindermishandeling	50.575	Sinds 2004: 48%	16%
Jeugd ggz	194.400	Sinds 2003: 16%	4%
Kinderen met een Jeugdbeschermingsmaatregel	20.812	Sinds 2004: 64%	21%
Geïndiceerd speciaal onderwijs	235.000	Sinds 2000: 14%	2%
Politiecontacten jeugdigen	32.237 (2005)	Sinds 2002: 35%	12%
Verblijf in justitiële jeugdinrichting	7.086	2003-2007: 11%	3%

Bron: Jo Hermanns, *Het opvoeden verleerd*, 2009

Nog meer cijfers: een op de elf kinderen volgt een vorm van speciaal onderwijs. Ongeveer veertien procent van alle kinderen krijgt een of andere vorm van extra hulp of ondersteuning. Daarnaast zijn er ook nog kinderen die niet in de hulpverlening terechtkomen, maar wel gebruikmaken van lokale projecten, persoonsgebonden budgetten, 'rugzakjes' of andere programma's waar geen doorverwijzing of indicatie voor nodig is en die dus niet geregistreerd worden.

Toch komt hij tot de conclusie dat het zo slecht nog niet gaat met de jeugd.

Uit een aantal grote nationale en internationale studies blijkt juist dat het heel goed gaat met Nederlandse kinderen. Hoogstens vijf procent van de kinderen heeft te maken met een opeenstapeling van problemen. Problemen rond angst en depressie nemen de afgelopen jaren heel licht toe, maar agressie neemt weer af, of blijft gelijk. Kinderen eten steeds gezonder en bewegen meer. Het comazuipen neemt toe, maar drankgebruik onder jonge kinderen neemt juist weer af. Roken blijft stabiel. Ook jeugdcriminaliteit lijkt wat af te nemen. Als we Nederlandse kinderen vergelijken met hun leeftijdgenoten in het buitenland doen ze het helemaal goed. VN-organisatie Unicef onderzocht in 2007 het welzijn van kinderen in 21 ontwikkelde landen op het gebied van materiële welvaart, gezondheid, veiligheid, schoolprestaties, kwaliteit van persoonlijke relaties in het gezin en met leeftijdsgenoten, gedragsproblemen, eetgewoonten, seksueel gedrag, vechten, pesten, middelengebruik en het door de kinderen zelf aangegeven welbevinden. De Nederlandse kinderen stonden eervol op de eerste plaats, wat in veel media tot de bewonderende opmerking leidde dat 'Nederlandse kinderen de gelukkigste kinderen ter wereld zijn'.

Hermanns verklaart deze paradox – gelukkige jeugd heeft meer hulp nodig – vanuit de manier waarop we tegenwoordig met opvoedproblemen omgaan. Normaal gedrag dat vroeger bij het opgroeien hoorde, wordt steeds vaker gezien als maatschappelijke overlast. De meeste hangjongeren doen weinig mis, behalve dat ze soms herrie en rotzooi maken. Toch heeft de 'hangjongerenproblematiek' in veel gemeenten de hondenpoep verstoten als ergernis nummer één van de burger. Rustzoekers proberen kinderdagverblijven uit hun buurt te verdrijven vanwege de geluidsoverlast. De lat voor wat we storend, ontoelaatbaar of crimineel gedrag noemen, is de laatste jaren flink gedaald. De normen veranderen dus.

Daarnaast worden problemen sneller bestempeld tot risico's en aandoeningen. Hermanns zegt hierover in zijn oratie het volgende:

> *Zorg en goede bedoelingen worden meer dan voorheen vertaald in het inschakelen van gespecialiseerde deskundigen. Het gaat daarbij vooral om orthopedagogen, psychologen en kinder- en jeugdpsychiaters en hun medewerkers. Deze hebben in hun opleiding geleerd een probleem op te lossen door diagnosticeren en behandelen. Daarmee worden tal van opvoedingsproblemen vertaald in psychopathologie, ontwikkelingsstoornissen, handicaps en/of disfunctionele gezinsinteracties. Deze leiden vervolgens tot een indicatie en daarna tot een behandeling in een van de instituties voor gespecialiseerde zorg.*

Een bekend voorbeeld is de wildgroei van het aantal kinderen dat zou lijden aan ADHD of PDD-NOS. Ook als ouders moeite hebben met de opvoeding, wordt dat sneller gezien als een situatie waar professionele hulp gewenst is.

Hermanns vindt deze situatie zorgelijk en waarschuwt voor de 'zuigkracht van de markt voor welzijn en geluk'.

> *Professionele instellingen formuleren daarin altijd wel nieuwe maatschappelijke problemen waarvoor hun specialistische inzet noodzakelijk is. Het gevolg is in ieder geval dat steeds meer kinderen op een vriendelijke en professionele wijze verpakt, maar toch impliciet de boodschap krijgen dat 'er iets met ze is', dat 'ze niet gewoon met de anderen mee kunnen doen', dat 'ze onacceptabel zijn voor de andere burgers'.*

Enige mate van tevredenheid en enige bescheidenheid lijkt dus wel op zijn plaats. Niet alle kinderen hoeven te worden gered.

Het welzijn van kinderen vormt voor velen al een rechtvaardiging voor veel overheidsbemoeienis. Dat geldt ook voor de gezondheid van alle Nederlanders. Daar liggen niet alleen altruïstische motieven aan ten grondslag – het is fijn als zo veel mogelijk mensen in goede gezondheid hun leven kunnen leven. Maar er is ook een groeiende economische noodzaak om de Nederlandse bevolking zo gezond mogelijk te houden. Techniek is daarvoor een belangrijk, maar geen neutraal wapen. Er is steeds meer gezondheidsinformatie beschikbaar van patiënten en burgers en die patiënteninformatie wordt vaker en vollediger ontsloten. Onze zorggegevens worden nadrukkelijk gebruikt in de belangenstrijd tussen overheid, bedrijven, zorgverleners en patiënten. Het gaat daarbij niet alleen om privacy, maar ook om de vraag of iedereen nog wel de zorg kan krijgen die hij nodig heeft.

6

Kleed je hier maar uit

> We weten allemaal dat de leefstijl van mensen de gezondheid kan schaden. Iemand met copd bijvoorbeeld, die stug door blijft roken. Of iemand met obesitas. Sommige dingen zijn zo duidelijk, dat je haast zou zeggen: 'Eigen schuld, dikke bult.' Moet je de schade, die mensen zichzelf toebrengen, volledig blijven verzekeren?
>
> *Dik Hermans, voorzitter Raad van Bestuur van het College voor Zorgverzekeringen*

Health buddy

Mevrouw Willems is sinds twee jaar hartpatiënt. Ze woont alleen in een statig huis in Maastricht en wordt iedere dag thuis gecontroleerd door de Health Buddy. Dit is een simpel apparaat met een schermpje, waarop een aantal meerkeuzevragen verschijnt. De Health Buddy informeert naar symptomen van hartfalen, zoals kortademigheid of plotselinge gewichtstoename (wat kan duiden op het vasthouden van vocht). Het apparaat vraagt of mevrouw Willems genoeg beweegt en niet te zout eet. De antwoorden worden dagelijks naar de hartfalenverpleegkundigen van het Academisch Ziekenhuis Maastricht (AZM) gestuurd. Mevrouw Willems vindt het prettig dat ze zo vaak gecontroleerd wordt en dat ze daarvoor niet iedere keer naar het ziekenhuis hoeft. De buddy heeft haar al eens gewaarschuwd dat er waarschijnlijk iets mis was en ze contact moest zoeken met haar behandelaar van het AZM. Ze had zelf niets door. Met wat wijzigingen in de medicatie werd het ongemak verholpen. Ze hoefde niet eens naar het ziekenhuis.

De Health Buddy van mevrouw Willems is een betrekkelijk eenvoudig apparaat dat in de frontlinie staat van een belangrijke technische ontwikkeling, die diepe sporen in de zorg zal trekken: de opkomst van *ambient intelligence*, ook wel e-Health genoemd. Volgens Paul Smit, senior vice-president Strategy van Philips Healthcare, zet ambient intelligence de zorg op zijn kop. Hij voorspelt dat over vijftien jaar onafhankelijk van plaats en tijd de lichaamsfuncties van patiënten gemonitord kunnen worden.

> *Sensoren zitten overal in huis en in kleding. Mogelijk zitten er zelfs chips in en op de huid van mensen. Die controleren hartfuncties, of het zweet. Andere chips kunnen bepaalde waardes in het bloed meten en kunnen zelf heel precies medicatie afgeven als dat nodig is. Het is aannemelijk dat deze technologie voor chronisch hartfalen, astma en diabetes ingezet wordt.*

Het in huis hebben van e-Health-apparatuur zal net zo normaal worden als het hebben van een thermometer en tandenborstel. Volgens Smit richt de techniek zich meer en meer op preventie. 'Vrijwel continu wordt gecontroleerd of alles in orde is. De zorg wordt helemaal om een patiënt heen gebouwd, dus in extreme vorm gepersonaliseerd. De zorg wordt ook beter. Betere monitoring dwingt immers therapietrouw af. Je kunt het gedrag van patiënten beter sturen.' Smit ziet ook grote financiële voordelen. 'Ziektekostenverzekeraars gebruiken e-Health om kosten omlaag te brengen. Dat is in ieder geval een strategie van Achmea.'

Of dit goed uitpakt voor de patiënt, is echter nog maar de vraag, waarschuwt Bart Walhout, projectmedewerker voor ambient intelligence in de zorg bij het Rathenau Instituut. Hij ziet nog een paar grote problemen.

Onduidelijk is wie wat mag doen met de informatie die wordt gegenereerd door al dat monitoren. Onderschat niet de snelheid waarmee deze ontwikkelingen gaan. Terwijl het ministerie van Volksgezondheid nog aan het inventariseren en onderzoeken is, draait de industrie al op volle toeren. We staan aan het begin van levensgrote vragen. Alle partijen moeten goed nadenken hoe we tot een gemeenschappelijke visie komen waarin alle belangen, van patient, zorgverleners, industrie, verzekeraars en overheid, goed worden afgewogen.

Hij verwacht dat ambient intelligence de relatie tussen patient, behandelaar, overheid en zorgverzekeraar op scherp zal zetten.

En het is niet alleen deze techniek die de zorg op zijn kop zet. Gevoelige informatie van patiënten en burgers wordt in toenemende mate gegenereerd, ook door andere technieken, zoals genetica, datamining en nieuwe bureaucratische instrumenten zoals diagnose-behandelcombinaties, DBC's. De patiënteninformatie wordt vaker en vollediger ontsloten in (online) dossiers en gedeeld tussen verschillende zorgpartijen. Die doen natuurlijk iets met die informatie. Onze zorggegevens zijn in toenemende mate munitie in een belangenstrijd tussen overheid, bedrijven, zorgverleners en patienten. Het gaat daarbij niet alleen om privacy (kan niet iedereen zomaar grasduinen in mijn dossier?), maar vooral ook om rechtvaardigheid en solidariteit: over de vraag wie de risico's en kosten van de zorg draagt. Het gaat om autonomie van de patiënt, het verlies van controle over zijn eigen informatie en de pogingen van andere zorgpartijen zijn gedrag te sturen.

Genen in de etalage

Meet Rosalynn Gill. Ze heeft groene ogen, bloedgroep A+ en draagt een bril. Ze is 1.72 meter lang, weegt 63 kilo en is allergisch voor penicilline en stuifmeel. Ze slikt voedingssupplementen en is tegenwoordig zelden ziek. In het verleden worstelde Gill met astma en longontsteking, en tot voor kort had ze last van bloedarmoede. Ze heeft drie kinderen – 14, 12 en 9 jaar oud – die ze allemaal in hun eerste jaar borstvoeding heeft gegeven. Ze is in de Verenigde Staten geboren (1961), evenals haar ouders en grootouders, en is medeoprichter van Sciona, een bedrijf in Denver dat dieetadviezen geeft die afgestemd zijn op genetische informatie. En Rosalynn Gill is een van de eerste tien vrijwilligers van het Amerikaanse Personal Genome Project (PGP). Ze heeft deze persoonlijke gegevens, in combinatie met een DNA-monster, aan het grote publiek prijsgegeven.

Harvard University Medical School startte een paar jaar geleden het project waarmee DNA-profielen, de medische dossiers en de omschrijvingen van karaktereigenschappen en eigenaardigheden van uiteindelijk honderdduizend vrijwilligers online worden gezet. Deelnemers geven openheid over hun medische geschiedenis en informatie over bijvoorbeeld hobby's, eet- en televisievoorkeuren. Ook stellen ze foto's van zichzelf beschikbaar. Het doel van het project is tweeledig. Enerzijds wil de organisatie het genetisch onderzoek versnellen door iedereen toegang tot de informatie te geven. Als onderzoekers de beschikking hebben over grote hoeveelheden data, kunnen er sneller correlaties gevonden worden tussen DNA-sequenties en specifieke eigenschappen.

De ontwikkelingen in het decoderen van het DNA gaan ongelooflijk snel. In 2003 kostte het in kaart brengen van het eerste menselijke DNA nog twee miljard euro. Nu naderen we de duizend-eurogrens. In China is een levendige industrie ontstaan om goedkoop DNA-monsters in kaart te brengen. Dat gaat zo snel dat er nergens te wereld genoeg computercapaciteit is om al die uitgeschreven codes op te slaan. Het is dan ook niet verwonderlijk dat de consumentenmarkt begint te bloeien. Het New Yorkse bedrijf 23andme houdt bijvoorbeeld zogenoemde spuugfeestjes, waarbij de bezoekers tussen de cocktails door worden getest. De informatie, aangevuld met een vragenlijst, wordt ook gebruikt om verder onderzoek mee te doen. Ook in Nederland zijn er zeker zeven bedrijven die relatief goedkope DNA-testen aanbieden om specifieke aandoeningen op te sporen of om het vaderschap vast te stellen (Verilabs, Mijnapotheek, Consanguinitas, GZND, Life-ID, Mijn DNA, Geneticom). Het is moeilijk na te gaan wat precies met de monsters gebeurt. Sommige bedrijven beloven onder geen enkele omstandigheid de informatie door te verkopen. Anderen zwijgen daarover of houden de optie open. Tot slot wordt DNA in toenemende mate gebruikt voor stamboomonderzoek en zijn er programma's op de markt die deze informatie koppelen (Family Tree DNA, ISOGG).

Gattaca

Veel mensen zullen zich ongemakkelijk voelen bij de verspreiding van genetische informatie. Het spookbeeld dat telkens terug keert is fraai geschetst in de film *Gattaca* uit 1997, die zich in ergens in een toekomstige genetisch geclassificeerde samenleving afspeelt. Hoofdpersoon Vincent Freeman (gespeeld door Ethan Hawke) is niet prenataal behandeld voor genetische afwijkingen en heeft daarom een verhoogde kans op hartproblemen en een lage levensverwachting. Hij zal het daarom nooit ver kunnen schoppen. Hij wordt continu gediscrimineerd en uitgesloten van beroepen. Hij droomt ervan om astronaut te worden en om dat te bereiken neemt hij de identiteit over van de 'genetisch valide' Jerome Eugene Morrow, gespeeld door Jude Law, die door een ongeluk in een rolstoel is beland. De sombere film gaat over de moeilijkheden die hij doorstaat om de genetische maskerade vol te houden. *Gattaca* houdt een spiegel voor en waarschuwt voor genetisch determinisme.

Rosalynn Gill maakt zich geen enkele zorgen. De veel geuite vrees dat ziektekostenverzekeraars de informatie misbruiken om mensen met een verhoogd risico op een bepaalde aandoening te weigeren of hogere premies voor te schotelen, noemt ze ongegrond. 'De meeste informatie is al bekend bij de verzekeraars omdat iedereen in de VS een uitgebreide gezondheidsverklaring moet invullen als hij een verzekering afsluit. Daarnaast is onlangs een wet aangenomen die discriminatie op basis van genetische factoren verbiedt. Bovendien ben ik kerngezond. Ik heb onlangs nog een marathon gelopen, dus ze kijken maar.' Belangrijker is volgens haar dat veel mensen overschatten wat de DNA-sequenties daadwerkelijk over een persoon zeggen. 'We weten nog weinig over wat door DNA en wat door omgevingsfactoren wordt bepaald. De voorspellende waarde van de vrijgegeven informatie zal heel lang heel klein blijven. Dat weegt voor mij niet op tegen de mogelijke wetenschappelijke baten van dit project.' Ook de kritiek dat ze haar kinderen hiermee mogelijk benadeelt, wuift ze weg. 'We hebben het thuis besproken en mijn man en kinderen staan hier helemaal achter. Daarnaast, wat zegt mijn DNA over dat van mijn kinderen? Ze hebben een deel van mijn genetisch materiaal geërfd en welk deel dat is, of in wat voor combinatie dat met de genen van mijn man voorkomt, is helemaal niet duidelijk.'

In Nederland is genetische selectie door verzekeraars min of meer verboden. In 1990 is voor arbeidsongeschiktheids- en levensverzekeringen het Moratorium Erfelijkheidsonderzoeken van kracht. Wie zich voor minder dan 160.000 euro verzekert, hoeft tijdens de acceptatieprocedure geen genetische test te ondergaan of resultaten van eerdere tests te overleggen. Ook hoeft de aanvrager niets te vertellen over erfelijke ziekten in de familie. Deze informatie moet wel worden prijsgegeven als de erfelijke ziekte zich heeft geopenbaard of als de aanvrager een preventieve behandeling ondergaat. Als een verzekeraar van het moratorium af wil, heeft hij een opzegtermijn van twee jaar, zodat andere maatschappelijke groepen zich kunnen beraden op maatregelen.

Risicoselectie

Genetica zou slechts één instrument zijn van verzekeraars in hun arsenaal om aan risicoselectie te doen. Er zijn nog meer manieren. De makkelijkste is om op basis van informatie over het beroep verzekerden te classificeren. Verzekeraars bieden bijvoorbeeld leraren een collectieve verzekering aan

en bouwvakkers en vuilnismannen niet. Of ze proberen jonge en gezonde klanten te trekken. De site van *zekurpolis* van Univé laat een hippe skateboarder zien en het is wel duidelijk op welke doelgroep aanbieder Univé zich richt. De verzekering is goedkoop, dekt weinig en, heel belangrijk, is zo op te zeggen. Wie zich beter wil verzekeren, kan zich dan snel bij een andere aanbieder melden voor een betere dekking. Univé kreeg vanuit de markt en overheid veel kritiek, maar alle verzekeraars proberen gezonde mensen aan zich te binden. Agis biedt een vegapolis of een rookvrijpolis. Wie stopt met roken, zal waarschijnlijk gezonder willen leven.
Verzekeraars proberen ook actief risicogevallen buiten de deur houden. Soms gebeurt dat vrij openlijk. Net na de invoering van het nieuwe zorgsysteem in 2006 meldde NRC *Handelsblad* dat zestien patiëntgroepen, voor onder meer leveraandoeningen, migraine en gehoorproblemen, er niet in slaagden collectieve contracten af te sluiten. De directeur van Delta Lloyd OHRA zei daarop tegen de verslaggever dat deze groepen tot 'voorspelbare verliezen' zouden leiden en daarom werden geweigerd. Om die selectie te voorkomen is een stelsel van 'risicoverevening' in het leven geroepen. Verzekeraars die veel dure klanten hebben, krijgen aan het eind van het jaar een vergoeding uit een pot van circa 20 miljard euro. Het probleem is alleen dat die verevening niet voor alle aandoeningen geldt. Verzekeraars willen daarom graag in kaart hebben wie bijvoorbeeld aan migraine, een psychische aandoening, artrose, of bepaalde maagklachten lijdt: voor de kosten daarvan draaien ze namelijk zelf op. Nu de marktwerking in de zorg ongeveer vijf jaar 'van kracht' is, zien we dat verzekeraars inderdaad de nodige trucs uithalen om aan de poort te selecteren. Zelfs de VVD werd eind 2011 boos omdat een aantal verzekeraars uitsluitend hoogopgeleiden als klanten wierf: het

achterliggende idee is dat hoogopgeleiden gezonder leven en dus minder kosten. Andere verzekeraars blijken zich louter op jongeren te richten, een lucratief 'marktsegment' dat weinig kost.
Ook kunnen verzekeraars op een andere manier aan de poort selecteren. Uit verschillende onderzoeken blijkt dat ieder jaar het aantal verzekeraars toeneemt dat een gezondheidsverklaring eist voor aanvullende verzekeringen. Door de informatie die dat oplevert, krijgt de klant steeds vaker beperkende voorwaarden opgelegd. Sommige behandelingen worden niet vergoed. Of door een vergroot risico moet de klant extra premie betalen. Daarnaast maken steeds meer verzekeraars het onaantrekkelijk, of zelfs onmogelijk, voor de klant om alleen een aanvullende verzekering af te sluiten. Ze moeten dan 25 tot 100 procent extra premie betalen, of de verzekering wordt ze simpelweg geweigerd. De verzekeraars willen daarmee voorkomen dat ze dure klanten krijgen. Deze selectie is vooral problematisch voor mensen die de zorg het hardst nodig hebben, omdat zij nauwelijks meer kunnen overstappen naar een andere verzekering en akkoord moeten gaan met de voor hen ongunstige voorwaarden.
Daar komt bij dat de keuzevrijheid voor de klant steeds beperkter wordt. Er zijn simpelweg steeds minder aanbieders van zorgverzekeringen. Op dit moment zijn negen van de tien Nederlanders verzekerd bij vier bedrijven: Achmea, Uvit, CZ en Menzis, die alle meerdere dochtermaatschappijen onder zich hebben. Wat voor gevolgen deze consolidatie heeft voor de informatiepositie van deze bedrijven, is nog niet helemaal duidelijk. Duidelijk is wel dat de verzekeraars steeds sterker staan en eisen kunnen gaan stellen aan patiënten en zorgverleners. Steeds meer zorgverleners ontdekken hoe hongerig verzekeraars kunnen zijn.

Bij de verzekeraar op de divan

De telefoon gaat op het kantoor van de Amsterdamse psychiater Kaspar Mengelberg. Een nieuwe patiënt. Hij maakt een afspraak. Na het intakegesprek moet Mengelberg een diagnose-behandelcombinatie (DBC) openen van de patiënt. Hij vult dan naam, adres, verzekering, datum en naam van de huisarts in. Ook vraagt de DBC om een diagnose volgens het DSM IV, een diagnoseclassificatie waar veel psychiaters en psychologen mee werken. Mengelberg noteert na twee gesprekken bijvoorbeeld: 'Ernstige depressieve stoornis, eerste episode, geen psychotische kenmerken maar wel bipolaire kenmerken, alcoholafhankelijkheid, afhankelijke persoonlijkheidsstoornis, lichte gastritis, vitamine B1 deficiëntie, gescheiden leefsituatie, enige stoornissen in realiteitszin en communicatie.'

Iedere keer dat Mengelberg een e-mail verstuurt of telefoontje pleegt over de patiënt, of als hij overleg over zijn casus voert, noteert hij dat in de DBC. Wat de patiënt en hij in de behandelkamer bespreken, komt er niet in. Als de therapie is afgelopen of na een jaar, als de therapie langer duurt, sluit Mengelberg de DBC af en stuurt die naar het DBC Informatie Systeem, DIS. Voordat medewerkers van deze stichting de DBC kunnen openen, wordt hij naar ZORG-TTP gestuurd. Die pseudonimiseert de persoonsgegevens dermate dat ze niet meer te herleiden zijn tot de patiënt. DIS controleert en valideert de DBC, en stuurt hem terug naar Mengelberg. Hij maakt er een declaratie van en stuurt alles naar degene die verantwoordelijk is voor de afrekening, meestal de verzekeraar. Daar moet een diagnostische aanduiding bij, waarbij hij kan kiezen uit veertien hoofdgroepen, waaronder depressieve of bipolaire stoornissen, schizofrenie, persoonlijkheidsen angststoornissen. 'Als de stoornis niet helemaal in die veertien hoofdgroepen past, moet je gewoon met de natte vinger iets verzinnen,' moppert Mengelberg. De verzekeraar slaat alle gegevens op en stuurt een deel naar Vektis, een bedrijf in de bossen van Zeist. Dat heeft declaraties in handen van alle zorgverzekeraars en slaat daarmee aan het rekenen om bruikbare patronen en kennis te vinden.

De DBC's zijn aan het begin van dit decennium tot stand gekomen en moeten tot een nieuwe financiering in de zorg leiden. Zorgverleners krijgen geen budgetten meer, maar worden betaald naar prestatie. 'Een DBC beschrijft het gemiddelde zorgpakket (diagnose, behandeling, tarief, etc.) voor een individuele patiënt op basis van diens zorgvraag,' zegt DBC Onderhoud, die DIS beheert. 'De zorgaanbieder gebruikt DBC's om de geleverde zorg te beschrijven en te declareren bij de verzekeraar.' Anders gezegd, een DBC beschrijft wat een patiënt mankeert en schrijft voor welke behandeling hij moet volgen en wat die mag kosten. Het blijkt nog behoorlijk lastig om de geneeskundige praktijk zo nauwkeurig te kwantificeren, te beschrijven en vooral voor te schrijven. Het aantal DBC's fluctueerde enorm. Het begon met 30.000 DBC's. Dit bleek een administratieve nachtmerrie te zijn, zeker als patienten complexe of meervoudige klachten hadden. Inmiddels wordt het aantal DBC s teruggebracht tot 3500 'zorgproducten'.

De DBC's moeten bovenal tot transparantie leiden, een doorzichtigheid waar iedere partij in het zorgveld van profiteert, aldus de verantwoordelijke bewindslieden. Specialisten die goedkoop werken en goed produceren, kunnen dat inzichtelijk maken en loon naar werken vragen. Ziekenhuizen krijgen veel managementinformatie om de zorg te verbeteren en de kosten omlaag te brengen. Zorgverzekeraars zien precies hoeveel een zorgaanbieder 'produceert' en tegen welke kosten. Als het VU Medisch Centrum per jaar vierhonderd knieoperaties uitvoert voor duizend euro per operatie en het Slotervaartziekenhuis tweehonderd operaties doet à drieduizend euro, weet een verzekeraar waar hij zijn klanten naartoe moet sturen. Ze kunnen die informatie ook gebruiken bij de zorginkoop en bij het afsluiten van contracten met zorgverleners. Het ministerie van Volksgezondheid kan achterover leunen en de transparante markt zijn zegenende werk laten doen op de daling van de zorgkosten. En de patiënt, die is er natuurlijk ook nog, krijgt inzicht in de kosten en prestaties van ziekenhuizen. Hij kan zorgshoppen, mits hij daar behoefte aan heeft, zijn verzekeraar dat toelaat of de informatie überhaupt vindbaar is op een openbare plek, wat tot op heden niet het geval is.

Eind 2011 hintte minister van Volksgezondheid Edith Schippers erop om de DBC-systematiek maar weer af te schaffen vanwege zijn complexiteit. Zo ver zal het voorlopig nog niet komen, denk ik. De informatiebehoefte en de noodzaak tot kostenreductie zijn simpelweg te groot.

Geheimhoudingsplicht

Mengelberg doet er niet aan mee. Hij vindt dat zijn geheimhoudingsplicht geschonden wordt.

> *Mensen moeten weten dat ze vrij zijn om ons te vertellen wat er aan de hand is. Ook beschamende en moeilijke dingen. Daarom moet je ze expliciet beloven dat alles wat ze in deze kamer vertellen, in deze kamer blijft. En ook niet een beetje naar buiten lekt. Helemaal niks. Als je dat niet kunt beloven, blijven ze weg. Als ze verstandig zijn. Kwaad-*

willende verzekeraars kunnen die informatie misbruiken als ze zich niet aan de regels houden. Dan kan een klant met een zware diagnose het bijvoorbeeld wel vergeten met zijn levensverzekering of arbeidsongeschiktheidverzekering. Of dan krijgt hij bijzondere voorwaarden opgelegd. Heel veel psychiaters die DBC*'s gebruiken, zeggen dat niet, maar zouden dat wel moeten doen. Als ze zelf in behandeling gaan, wat geregeld gebeurt, dan letten ze daar wel degelijk op. Als er iets naar buiten gaat, dan moet dat in het belang zijn van de patiënt. Je moet alleen met medebehandelaars informatie uitwisselen. Die zijn gebonden aan hun beroepsgeheim. Dat zijn de mensen van het* DIS *en de verzekeringsmaatschappij niet.*

Dat concludeerde juriste Cindy Evers ook in haar onderzoek naar de privacy-aspecten van de DBC's in de geestelijke gezondheidszorg. 'Behalve het DIS beschikken ook zorgverzekeraars over een databank met op naam en burgerservicenummer gestelde medische gegevens van de patiënt. Ondanks dat deze gegevens worden afgeschermd van overige verzekeringsactiviteiten, ligt hier een zeer groot privacyrisico. Medewerkers van verzekeringsmaatschappijen zijn zelfs niet gebonden aan het formele beroepsgeheim en derhalve niet tuchtrechtelijk aansprakelijk.' Dit in tegenstelling tot de verzekeringsarts aan wie behandelaars vroeger hun declaraties voorlegden.

Daarnaast, vervolgt Mengelberg, leidt deze systematiek tot het vaststellen van zwaardere diagnoses en dus onbetrouwbare informatie. Hij geeft het voorbeeld van iemand met een depressieve stoornis. 'Als een psychiater er niet uitkomt met het voorgeschreven aantal sessies, dan is het heel verleidelijk de diagnose te verzwaren tot bijvoorbeeld een persoonlijkheidsstoornis. Daar krijgt een behandelaar meer tijd voor.

Het nadeel is dat een patiënt mogelijk een zwaarder stempel opgedrukt krijgt dan hij verdient. Dat kan hem later weer in de problemen brengen.' Daarnaast raakt zijn dossier op verschillende plekken in de 'zorgketen' vervuild met foute informatie.

Mengelberg heeft zich met ontevreden vakgenoten verenigd in de Koepel van DBC-Vrije Praktijken. Deze behandelaars willen DBC's buiten de deur houden, in ieder geval voor klanten die uit eigen zak betalen. De koepel behaalde in 2010 een overwinning bij de rechter, maar het ministerie van Volksgezondheid bereidt nieuwe wetgeving voor die de psychiaters alsnog dwingt om de patiëntengegevens af te staan. Het conflict is anno 2011 nog steeds niet definitief opgelost.

Zombiedossier

Het ministerie geeft zich ook niet zomaar gewonnen bij het loslaten van het Elektronisch Patiëntendossier (EPD). Dit is een zombiedossier gebleken: het EPD is al een aantal keer doodverklaard, maar blijft telkens terugkomen. En terecht. Er valt veel aan te merken op het EPD, maar het bezit ook een aantal goede eigenschappen die mij hoopvol stemmen. Maar helaas is het nog niet genoeg.

Het EPD heeft een turbulente geschiedenis. Aan het begin van het vorige decennium kwam het ministerie van Volksgezondheid op een helder idee: als de medische dossiers gedigitaliseerd worden, kunnen zorgverleners altijd over de juiste informatie beschikken. Daarmee verbetert de kwaliteit van de zorg en nemen de kosten af, want fouten zijn immers duur. Van begin af aan zijn echter grote blunders gemaakt. Over de grote weerstand onder de bevolking werd badinerend gedaan. Er werd een rooskleurig beeld geschetst van de baten van het EPD. De claim dat er jaarlijks enkele duizenden sterfgevallen kunnen worden voorkomen, bleek uit de lucht gegrepen. De nadelen – in het bijzonder de veiligheid van de gegevensuitwisseling – werden grondig onderschat. De architectuur, waarbij het dossier via een ingewikkeld landelijk netwerk door zo ongeveer alle zorgverleners in te zien was, bleek zeer problematisch. Een systeem met zoveel gebruikers en zoveel verbindingen is in de kern nauwelijks adequaat te beveiligen.

Toch is er in het begin een grotere miskleun gemaakt die later is rechtgezet. Aanvankelijk werd de patiënt volledig buiten het EPD gehouden: de gegevensuitwisseling ging over zijn hoofd heen. Zodra hij in de behandelkamer netjes alle vragen had beantwoord, namen de zorgverleners het over en konden zij vrijuit de gegevens uitwisselen. Het principe gold: eens gegeven, blijft gegeven. De patiënt kon hierna alleen nog maar zeer beperkte controle terugwinnen via enkele procedures, waarvan de waarde in de praktijk vaak gering is.

Hierbij werd onvoldoende rekenschap gegeven aan toekomstige ontwikkelingen die wij nu nog onwaarschijnlijk achten, zoals de mogelijkheid dat zorgverzekeraars toegang krijgen tot het EPD. Dat vinden wij nu misschien nog afkeurenswaardig, een schending van het beroepsgeheim, maar als de zorgkosten ondraaglijk worden, wie weet. Ter elfder ure werd het wetsvoorstel aangepast om aan dit bezwaar tegemoet te komen: alle handelingen van zorgverleners werden gelogged en de patiënt moest toestemming geven als een behandelaar zijn gegevens wilde inzien. En zo hoort het. Daar kunnen andere elektronische dossiers en verwijsindexen nog een voorbeeld aan nemen: geef de betrokkene echte controle over zijn gegevens. Ik zou zelfs verder willen gaan en ervoor pleiten om alle gegevens versleuteld op te slaan en patiënten een pasje te geven die de encryptie ongedaan maakt. Een aantal zorgverleners kan bij voorbaat toestemming krijgen, maar de meesten zullen het gewoon aan de patiënt moeten vragen. Ik kom hier aan het einde van dit boek nog uitgebreid op terug.

Een voordeel van beperkte toegang en encryptie is dat ineens veel minder mensen kunnen meekijken. In theorie mag alleen medisch personeel in dit soort gegevens grasduinen, in de praktijk worden bevoegdheden en uitvoering vaak gedelegeerd. Een bekentenis. Toen ik net klaar was met mijn studie en aan het solliciteren was, heb ik een paar maanden bij de Riagg in Utrecht gewerkt op het secretariaat van de ouderenpsychiatrie. Ik kon toen in het hele patiëntensysteem van de Riagg Utrecht kijken, dus ook van volwassenen- en kinderbegeleiding. In rustige uurtjes zat ik er wel eens in te snuffelen, even kijken of ik nog bekenden tegenkwam. Ik kon niet op heel gedetailleerd niveau kijken, maar wel wat iemand in hoofdlijnen mankeerde. Dat was niet netjes van me, maar ik vermoed dat ik niet de enige was.

Hoe het met het EPD afloopt, is op het moment van schrijven ongewis, hoewel het me weinig zal verbazen als hij in een andere vorm weer tot leven komt. In de laatste maanden van 2011 is het EPD al enkele keren dood- en levend verklaard. Op het moment van schrijven dwingen de verzekeraars huisartsen zich alsnog op een EPD-versie aan te sluiten, op straffe van kortingen op de vergoedingen.

Zombiediscussie

Als het EPD een zombiedossier is, dan is de discussie over QALY's een zombiediscussie. QALY's zijn bij het grote publiek onbekend, maar veel zorgbecijferaars zullen met de ogen rollen als ze het woord horen. QALY staat voor *Quality Adjusted Life Year*. QALY is een cijfer dat een gezond levensjaar in geld uitdrukt. Ik zal een zeer versimpeld voorbeeld geven ter illustratie; de praktijk is een stuk ingewikkelder. Als een kind een beenmergtransplantatie nodig heeft van 210.000 euro en de verwachting is dat hij nog zeventig jaar te leven heeft, dan is de QALY 3000 euro. Als een hoogbejaarde vrouw een nieuwe hartklep nodig heeft en een jaar moet revalideren – kosten 100.000 euro – en die ingreep verlengt haar leven met vermoedelijk een jaar, dan is de QALY 100.000. In de kern is een QALY een kosten-batenanalyse en daarom zijn ze zo omstreden: ze hangen een prijskaartje aan het leven op basis van een risicoinschatting. De discussie keert desondanks geregeld terug, vaak aangezwengeld door iemand in het verzekeringswezen, iemand die op de kosten moet letten.

Ambient intelligence, DNA-decodering, de enorme datavloed die DBC's teweeg hebben gebracht, het EPD, de QALY's. Onze digitale schaduw vertelt al reusachtig veel over onze gezondheid, levensstijl en (vermeende) kans op ziekten en andere aandoeningen. Dit leidt tot een aantal ongemakkelijke vragen. Zeker in de risicosamenleving, waarin men er steeds vaker van uitgaat dat individuen hun eigen risico's veroorzaken. Er wordt verondersteld dat wij allemaal in belangrijke mate controleren hoe het met onze gezondheid gaat. Onze leefstijl bepaalt welke risico's we lopen. En onze leefstijl kunnen we veranderen. Als een longpatiënt stug door blijft roken, moet de maatschappij dan iedere keer voor de zorgkosten opdraaien? Als een hartpatiënt tegen beter weten het bergbeklimmen maar niet op wil geven, moeten wij dan de helikopter betalen die hem van de berg plukt als het dan toch misgaat? Verzekeraars proberen ons gedrag al te sturen, bijvoorbeeld door het invoeren van een eigen risico en een eigen bijdrage, zodat verzekerden gezonder gaan leven en niet voor ieder wissewasje naar de huisarts rennen. Sommige verzekeraars helpen hun klanten met het stoppen met roken, of bieden aan andere preventieve behandelingen te vergoeden. Door de toegenomen hoeveelheid data kunnen zorgpartijen, beleidsmakers en verzekeraars steeds meer proberen te sturen.

Dit roept nieuwe vragen op en met het beantwoorden daarvan zijn we nog niet eens begonnen. Mag straks aan ongezond gedrag een steeds hoger prijskaartje worden gehangen? Kunnen we mensen dwingen om zich te laten monitoren door middel van ambient intelligence om te zien of ze zich aan een behandeling houden of dat ze wel gezond leven? Hebben burgers en patiënten ook het recht om in een 'domme omgeving' te leven, zich niet te laten omringen met sensoren, uit het EPD en de DBC-systematiek te blijven?

Jos de Waardt, hoofd ethiek bij het ministerie van Volksgezondheid, spreekt in het eerder genoemde Rathenau-rapport *Ambient Intelligence in de zorg* zijn twijfels uit.

> *De derde generatie computers, die ons onzichtbaar omringt, benadert de mens sluipenderwijs. [...] Neem het voorbeeld van gepersonaliseerde zorgdiensten. Wie beheert die gegevens? Mag een zorgverzekeraar premiekortingen geven in ruil voor persoonlijke informatie. Wij zijn bang dat op dit vlak normen gaan schuiven. Om grenzen te kunnen stellen, zal de burger echter moeten begrijpen waarom die grenzen in zijn belang zijn. [...] Mensen die gegevens over hun dagelijks functioneren willen afstaan aan de zorgverzekeraar, krijgen wellicht een premiekorting. Of: zij die dat niet doen, moeten een verhoogde premie betalen. Dit zijn consequenties die we nu al kunnen voorzien. Wij*

kunnen daar als overheid tegen zijn, maar ziet de burger dat ook zo? En als de overheid in zijn opvattingen over controle en toezicht radicaliseert, wat dan?

Thom Hoedemakers is directeur van Sananet, die de Health Buddy produceert die we aan het begin van dit hoofdstuk tegenkwamen. Hij ziet dat dit 'krachtenspel' tussen de verschillende zorgpartijen al volop bezig is. 'Er liggen nog vragen open zoals: wie profiteert in welke mate van de ontwikkelingen? Wie profiteert bijvoorbeeld van de kostenbesparing? De patiënt, de zorgaanbieder of de belastingbetaler?' Hij waarschuwt dat we deze vragen snel moeten beantwoorden, want de ontwikkelingen gaan hard. Zijn mededirecteur Jan Ramaekers schetst het landschap dat voor ons ligt:

Waar we ook naartoe gaan, techniek zal daar een belangrijke rol in spelen. Gaan we mobiel? Werken we met sensoren op het lichaam of in kleding? Implanteren we die sensoren, sturen we robotjes in de bloedbanen om de glucose te meten? Deze ontwikkelingen zijn al in beweging gezet. Dat dit soort technieken er komt en wordt gebruikt, dat staat wel vast. Mensen zijn er misschien nog huiverig voor, maar ook dat zal misschien veranderen. Een breed maatschappelijk debat zou geen kwaad kunnen.

Je digitale schaduw zegt al erg veel over hoe je leeft. Intieme details worden opgeslagen en gebruikt voor risicoprofilering. Risico's zijn deels individueel veroorzaakt, dus is er altijd reden om nóg meer te weten. De potentiële schade is groot, dus is er altijd een reden om nóg verder vooruit te kijken, om mishandeling en zorgkosten te voorkomen. Als individu merk je hier weinig van, behalve als je een huisbezoek krijgt of ineens een hogere premie moet betalen. En dan nog is er zo'n ingewikkeld en ontransparant proces aan voorafgegaan, dat het moeilijk is precies aan te wijzen in hoeverre risicoprofilering verantwoordelijk is voor het categoriseren van je gezin, je kinderen of jezelf.

Een activiteit waar dat veel sneller duidelijk wordt, is reizen. De moderne mens is veel onderweg. Reizen is makkelijker en goedkoper dan ooit. Grenzen vallen ogenschijnlijk weg. Maar dat geldt niet voor iedereen. Als je een goede reiziger bent, kun je gaan en staan waar je wilt. Daarvoor moet je je wel blootgeven. Ben je een slechte reiziger, dan kan verplaatsen ineens heel moeizaam blijken te zijn. Maar wie bepaalt het verschil tussen goed en slecht?

7

De slechte reiziger

Travelers are scanned like barcodes and processed.

David Lyon

Hup langs de grens

Onze zoon is in New York geboren en is daarom ook een Amerikaans staatsburger. Hij heeft twee paspoorten. Daar zitten geen patriottisme of andere verheven idealen achter, maar slechts een simpele berekening. Voor een eenmalige investering van tachtig dollar besparen we ons een hoop wachttijd. Als we in Nederland aankomen, zwaaien we met zijn Nederlandse paspoort en sluiten we aan in de korte rij voor EU-burgers. In de VS schuiven we met zijn reisdocument aan bij de andere *citizens*. Dat scheelt op JFK International Airport al snel anderhalf uur wachten. We moeten nog wel onze vingerafdrukken afgeven en een foto laten maken. Onze visa worden nog steeds bestudeerd, maar we hoeven geen vragen meer te beantwoorden wat we in de VS doen, hoe lang we nog denken te blijven en wat die visa voor Oezbekistan en Iran in mijn paspoort te zoeken hebben. Het gaat er een stuk vriendelijker aan toe. Is dit helemaal eerlijk van ons? Wellicht niet. Voor ons is onze zoon gewoon Nederlands. Het enige verschil met veel andere niet-Amerikanen is dat we een document bij ons hebben dat vertrouwen wekt bij de Amerikaanse autoriteiten, dat onze zoon en daarmee ons meer betrouwbaar maakt. Met het paspoort van mijn zoon kan de grenswacht zien dat we meer rechten hebben dan de toeristen en visumhouders in de lange rij. En we hebben het geluk dat we tachtig dollar kunnen en willen betalen in ruil voor wat meer reisgemak. Wie zou dat niet doen?

Reizen is een nogal schizoïde bezigheid geworden. Enerzijds is het makkelijker dan ooit om op pad te gaan naar bestemmingen ver weg en dichtbij. We zijn mobieler dan ooit. Vliegen is voor steeds meer mensen een betaalbare luxe of simpelweg noodzakelijk voor werk. De grenzen in Europa zijn zo goed als weggevallen, geen lange rijen meer voor de douane. Files en geweeklaag ten spijt: we rijden heel Nederland door en gebruiken het openbaar vervoer intensiever dan ooit. We staan er nauwelijks bij stil, maar dagelijks vindt een logistiek wonder plaats: een complete volksverhuizing, iedere dag weer.

Anderzijds blijken de groeiende verkeersstromen nieuwe risico's op te roepen. Kwaadwillenden verplaatsen zich met evenveel gemak. Oost-Europese bendes overvallen huizen in de grensstreek. Uitgebreide fortificatie ten spijt: de Europese zuidgrens is nog steeds een zeef waardoor immigranten zich proberen te wurmen, op zoek naar een beter leven. En als de grote aanslagen op westerse bodem iets hebben laten zien, is het dat het openbaar vervoer en vliegtuigen een ideaal doelwit en wapen zijn: 9/11, de treinen in Madrid, de metro in Londen, de schoen- en onderbroekterroristen.

De economisch noodzakelijke mobiliteit en de economisch en politiek noodzakelijke veiligheid schuren en botsen. De een gaat al snel ten koste van de ander. Een snellere doorstroming van passagiers gaat al snel ten koste van de veiligheid in de lucht, op het spoor of op de weg. Een te strenge controle van al die passagiers gaat ten koste van de doorstroming. De oplossing is het scheiden van verkeersstromen, weten wie er reist en wie er een mogelijk gevaar vormt. Dit hoofdstuk laat zien dat op belangrijke knooppunten reizigers worden gesorteerd. Goede reizigers mogen soepel en snel verder, en merken vaak niets of weinig van de controle – al vindt die wel degelijk plaats, meer dan ooit zelfs. Slechte reizigers worden tegengehouden en aan nadere inspectie onderworpen. Meestal mogen ze daarna verder. Soms niet.

Er zijn twee manieren om goede reizigers van slechte te onderscheiden. In de eerste plaats kijk je letterlijk naar wat mensen doen in het heden, hoe ze zich gedragen. Deze *behavioral surveillance* is sterk in opkomst en wordt vooral toegepast op drukke verkeersknooppunten zoals vliegvelden en stations. Het voordeel is dat je mensen niet hoeft te identificeren, ze niet uit de anonimiteit hoeft te halen, hoewel ook dat steeds meer plaatsvindt. De tweede manier is het analyseren en beoordelen van de informatie over mensen, dus van hun digitale schaduw. Beide methoden zijn problematisch.

Prevelen op het station

Het centraal station in Utrecht is een aanlokkelijk doelwit. Maandagavond tijdens het spitsuur wurmt de forensenkudde zich door de traverse van Hoog Catharijne naar de stationshal. Op een verhoging schuin onder het blauwe bord met vertrektijden zit een man met een grote, splinternieuwe koffer. Hij heeft een lichtbruine huidskleur, ik vermoed dat hij uit India komt, of Pakistan. Zijn kleding is sjofel. Hij staart strak voor zich uit en prevelt iets. Een gebed? Of is hij verward? Waarom trekt deze man de aandacht? Is het zijn gedrag? Zijn huidskleur? De nieuwe koffer in combinatie met de versleten kleren? Kun je uit zijn uiterlijk en gedrag opmaken wat zijn intenties zijn?

Maaike Lousberg, onderzoeker bij TNO, denkt van wel. Zij werkt samen met de Nationaal Coördinator Terrorismebestrijding, (NCTb) samen om verdachte gedragingen in het openbaar vervoer te herkennen. De NCTb sponsort bijvoorbeeld een cameraproject waarbij verdacht gedrag automatisch wordt opgemerkt, zodat beveiligers eerder kunnen ingrijpen. Op zeven stations in Nederland (Utrecht, Amsterdam, Rotterdam, Leiden, Den Haag HS en Centraal en Eindhoven) wordt voor 25 miljoen euro aan camera's opgehangen. De techniek is ontwikkeld door de casino's van Las Vegas om fraudeurs te ontdekken.

Maar hoe herkent een computer een verdachte gedraging? De camerasoftware kijkt niet naar baarden en boerka's, maar naar wat mensen doen in de publieke ruimte. Lang drentelen valt op. Het achterlaten van een koffer of groot object ook. Over een langere termijn kunnen patronen van looproutes worden gemaakt. De computer 'ziet' hoe forensen zich normaal gesproken door de stationshal bewegen. Wie zich buiten een patroon begeeft, wordt opgemerkt. Een beveiliger kan dan een kijkje nemen.

Toch is *behavioral surveillance* een lastige bezigheid. Het 'probleem' is dat in Nederland nauwelijks ervaring is met terroristische aanslagen en dus ook niet met terroristisch gedrag. In Israël zijn er wel gedragsprofielen ontwikkeld, maar die zijn niet zonder meer op de Nederlandse praktijk toepasbaar. 'Wat in sommige culturen afwijkend gedrag is, is in andere culturen heel normaal,' zegt Lousberg. 'In sommige Aziatische culturen is het bijvoorbeeld niet netjes om iemand met gezag rechtstreeks aan te kijken, terwijl wegkijken in onze cultuur juist weer verdacht is.' Lousberg stelde na consultatie van een crossculturele psycholoog een lijst van 196 verdachte gedragingen vast, waarvan er ongeveer 7 procent cultureel bepaald zouden zijn. 'De resterende gedragingen zijn niet gebonden aan ras, levensovertuiging of nationaliteit. Ze kunnen ook van toepassing zijn op rechts, links of moslimextremisme.' TNO is nu zover dat sensoren ongeveer 6 procent van deze gedragingen detecteren. Lousberg verwacht binnenkort op 40 procent uit te komen. Veel meer zal het niet worden. 'We hebben berekend dat 54 procent van de gedragingen waarschijnlijk nooit door een machine kan worden opgemerkt. Dan heb je het over subtiele bewegingen in het gezicht of trillende handen. Mensen zien die signalen vaak wel.'

Gefriemel

Rondom het detecteren van intenties is een hele industrie ontstaan. In de VS hanteert de Transportation Security Administration (TSA) bijvoorbeeld het SPOT-model, *Screening Passengers by Observation Technique.* Beveiligers zoeken naar verborgen bedoelingen bij passagiers door op minieme aanwijzingen in de lichaamstaal te letten, zogenoemde micro-expressies: een nerveuze tik van een mondhoek, gefriemel aan een ritssluiting. Die micro-expressies zijn *hot*, er worden zelfs complete televisieseries op gebaseerd, zoals *Lie to me* en een CSI-serie, waarbij *profilers* leugens van misdadigers ontmaskeren door superieure observatietechnieken. Het Nationaal Luchtvaart- en Ruimtevaartlaboratorium onderzoekt in opdracht van de Europese Commissie een systeem dat slechte bedoelingen bij vliegtuigpassagiers moet opmerken. Iedere passagier wordt tijdens de vlucht met een camera in de gaten gehouden. Als iemand zich nerveus of afwijkend gedraagt, gaat er in de cockpit een alarmpje af zodat het cabinepersoneel poolshoogte kan nemen. In Amsterdam hangen luistercamera's bij bushaltes, het Centraal Station en bij de Heineken Music Hall, die gesprekken analyseren. Bij mogelijke agressie floepen de camera's aan en kunnen beveiligers of de politie bekijken of ze moeten ingrijpen. Het Israelische securitybedrijf WECU (spreek uit 'we see you') Technologies ontwikkelt voor de Amerikaanse grensbewaking een nieuw netwerk van biometrische sensoren. Reizigers worden bijvoorbeeld blootgesteld aan subliminale beelden, zoals een foto van Osama Bin Laden, waarop sensoren de reactie van de reiziger peilen. Er worden matten met sensoren uitgerold die het loopgedrag van mensen analyseren. Wie zich verdacht gedraagt, krijgt een digitale marker en wordt door middel van camera's en sensoren in het hele vliegveld gevolgd. Microfoons pakken veranderingen in stemgeluiden op die kunnen wijzen op kwaadaardige bedoelingen. En er zijn zelfs al bedrijven die claimen hersenactiviteit te kunnen meten, wat overigens klinklare onzin is.

Deze technieken klinken nogal eng, maar hebben ook een aantal voordelen. In zekere zin zijn ze objectiever dan meer ouderwetse methoden van risicoselectie, waarbij beveiligers bijvoorbeeld naar uiterlijk of nationaliteit kijken. Met de nieuwe technieken wordt op concreet gedrag gelet. Daarnaast kunnen deze technieken de privacy van reizigers ook bevorderen. In sommige coupés van de NS gaat de camera alleen lopen als er mogelijk sprake is van agressief gedrag. Een beveiliger kan dan zien of het nodig is om in te grijpen, maar als er niets is, hoeft hij dat niet te doen. Een ander groot voordeel is dat reizigers niet uit de anonimiteit gehaald hoeven te worden. Het is niet zo belangrijk om te weten dat persoon A hier reist, het gaat er immers om of hij zich gedraagt of niet.

Dat gezegd hebbende, zijn er ook nadelen. Ten eerste is het maar de vraag in hoeverre bepaalde gedragingen met kwaadaardige bedoelingen verbonden zijn. Uit onderzoek van journalist Sharon Weinberg dat in 2010 in *Nature* werd gepubliceerd, blijkt dat de wetenschappelijke basis voor bijvoorbeeld het SPOT-detectieprogramma flinterdun is. Veel aannames zijn terug te voeren op slecht uitgevoerd en niet-reproduceerbaar wetenschappelijk onderzoek uit de jaren zeventig. Ook de Amerikaanse Rekenkamer is erg wantrouwend over de effectiviteit van dit systeem. Voor zover bekend is er nog geen terrorist mee ontmaskerd. Gezond verstand zegt ook dat sommige gedragingen moeilijk te peilen zijn. Is het echt zo raar om je nerveus te gedragen in een vliegtuig?

Daarnaast is er ook een tendens om reizigers toch uit de anonimiteit te halen. In Rotterdam zijn sommige trams uitgerust met camera's die gezichten kunnen herkennen. Die gezichten zijn gekoppeld aan een database met personen die een vervoersverbod hebben. Wie zich heeft misdragen, mag een bepaalde periode niet met het openbaar vervoer reizen. Stapt hij toch in, dan gaat er een alarm af. Het probleem is echter de betrouwbaarheid: het alarm gaat te vaak af. Gewone reizigers worden ten onrechte aangemerkt als verdachte en krijgen vervolgens met de beveiliging of de politie te maken. Ook in winkels, in stadions, op verkeersknooppunten en in uitgaansgebieden wordt steeds vaker gezichtsherkenning toegepast om raddraaiers, criminelen, dieven en terroristen buiten de deur te houden. Het is in dit verband geen prettig idee dat de overheid over een enorme database aan gezichten beschikt. Niet voor niets mag je niet meer lachen op je pasfoto. Die foto's worden namelijk gescand en in de toekomst mogelijk gebruikt voor gezichtsherkenning.

Biometrische sensoren worden steeds vaker aan databases

met persoonlijke gegevens gekoppeld. Identificatie (wie ben je) en controle (mag je door) vinden daardoor tegelijkertijd plaats. Niet alleen moet je als reiziger een fysieke grens over, eentje van slagbomen, toegangspoortjes en geüniformeerd toezicht. Maar er is ook een extra barrière geplaatst, een informatiefilter waar iedere reiziger doorheen moet, vaak in de vorm van een zwarte lijst.

Informatiefilter

Mary ondervond aan den lijve hoe de moderne grens is veranderd. De Amerikaanse jonge vrouw bezoekt begin 2009 haar ouders in Den Haag en verblijft op een toeristenvisum van drie maanden. Ze besluit in de lente langer te blijven en neemt contact op met de Immigratie- en Naturalisatie Dienst (IND). Ze wordt uitgenodigd om de aanvraag persoonlijk te komen indienen, maar daags voor haar afspraak krijgt ze een baan in de VS aangeboden. Voordat ze terugvliegt, ziet de marechaussee dat Mary te lang is gebleven. Ze legt de situatie uit en krijgt te horen dat ze bij een volgend bezoek op tijd terug moet keren naar de VS. Verder lijkt er niets aan de hand. In december 2009 komt Mary weer over om kerst te vieren. Als ze op Schiphol aankomt, wordt ze echter gearresteerd. Ze staat gesignaleerd in het Schengen Informatie Systeem (SIS). Ze mag het land niet in. Haar ouders kopen een ticket en die avond zit Mary weer op een vliegtuig naar huis.

Het SIS is een Europees informatiesysteem, gevuld met gegevens van personen die uit de EU moeten worden geweerd, bijvoorbeeld omdat ze geen geldige verblijfsvergunning hebben, of omdat ze een bedreiging zouden vormen voor de veiligheid of de openbare orde van de lidstaten. Ook staan er EU-burgers op die gekocht worden door een van de opsporingsdiensten. Als een grenswacht iemand in SIS tegenkomt, moet hij die persoon terugsturen, arresteren of onder observatie laten plaatsen. Het systeem bevat ongeveer een miljoen personen: een kwart komt uit de EU, de rest van daarbuiten. Vanaf een half miljoen computerterminals kunnen politie, geheime diensten en grensbewaking mensen toevoegen of natrekken. Het is aan politie en justitie van de afzonderlijke lidstaten te bepalen wie er in het SIS komt. De politie in Roemenië kan een veroordeelde mensensmokkelaar er bijvoorbeeld uit houden, terwijl de Nederlandse politie hem er wel in zet.

De Nationale Ombudsman constateert in 2010 dat het plaatsen van personen in het SIS welhaast een 'automatisme' is en dat er maar weinig wordt gekeken of de signalering wel evenredig is met de geconstateerde overtreding. De ombudsman noemt het voorbeeld van een Turkse mevrouw die op familiebezoek in Nederland een ongeluk kreeg, in het ziekenhuis belandde en daarom haar visumperiode met een paar dagen overschreed. De volgende keer kwam ze Nederland niet meer in. Daarnaast is het lastig om de signalering aan te vechten. Je moet er eerst achter zien te komen wie de signalering heeft geplaatst. En als een rechter de signalering vernietigt, moeten andere lidstaten die verandering ook nog doorvoeren. Het SIS heeft een centrale database, maar ook nationale varianten.

Op dit moment wordt een opvolger van SIS ontworpen, SIS II. Het is in alle opzichten een forse uitbreiding. Meer nationale en internationale veiligheidsinstellingen krijgen toegang tot de database. Ook vingerafdrukken worden opgenomen, zodat grenswachters de identiteit beter kunnen controleren. Er worden meer categorieën van mensen opgenomen, zoals (terreur)verdachten, hooligans, gewelddadige demonstranten en ontvoerde kinderen. En het SIS II kan ook aan andere grote Europese databases worden gekoppeld, zoals het Visum Informatie Systeem (VIS), waar iedereen die een visum aanvraagt voor een Europees land, in wordt geregistreerd. Van begin af aan wordt de bouw van dit systeem echter geplaagd door problemen en de oplevering is al een aantal keren uitgesteld. Politici eisen telkens nieuwe functionaliteiten en de snelle uitbreiding van het aantal lidstaten maakt het lastig om een stabiel en betrouwbaar systeem op te zetten. Aangezien er al 140 miljoen euro in is geïnvesteerd, willen de lidstaten SIS II niet opgeven. Het zal er hoe dan ook komen. Of het systeem goed zal werken en niet aan de rechtspositie van burgers zal tornen, is nog maar de vraag.

Naast SIS, SIS II en VIS bouwt Nederland zelf ook aan zijn digitale grenzen. In Nederland loopt op dit moment het programma Vernieuwing Grens Management dat een min of meer geautomatiseerde grenspassage mogelijk maakt. Er komen toegangspoortjes waar het paspoort wordt uitgelezen en een vingerafdruk wordt afgegeven. Reizigers die als 'laag risico' te boek staan, mogen na deze biometrische controle doorlopen. Reizigers met een 'hoog risico' worden aan extra handmatige controles onderworpen. In het Nationaal Informatie Analysecentrum Grenstoezicht (NIAG) worden alle passagiersgegevens geautomatiseerd doorzocht op verdachte aanwijzingen en vergeleken met terroristische en criminele opsporingslijsten. In hoeverre etnische kenmerken of afgeleiden daarvan, zoals maaltijdvoorkeuren of reisgeschiedenis, gebruikt worden, is onduidelijk. Ik deed een beroep op de Wet Openbaarheid van Bestuur om de precieze werking van deze risicoprofilering bloot te leggen. Het ministerie van Justitie en Veiligheid zegt echter geen documenten over risicoprofilering te hebben. Als dat waar is, dan is dat behoorlijk zorgwekkend. Risicoprofileren is het hart van het systeem. Maar hoe die profielen daadwerkelijk gemaakt moeten worden, hoe voorkomen wordt dat ze geen discriminatoire uitwerking hebben, hoe de marechaussee onderscheid denkt te maken tussen 'goede' en 'slechte' reizigers, daar is blijkbaar nog niet over nagedacht.

De grens is overal

De moderne reiziger wordt niet alleen aan de grens gecontroleerd. Haast alle verplaatsingen in Nederland worden tegenwoordig waargenomen. Het zal bijvoorbeeld niet lang meer duren voordat een groot deel van jouw autoritten vastliggen. Op dit moment is een landelijk programma gestart om langs de hoofdwegen in Nederland de kentekens van passerende voertuigen vast te leggen en een aantal weken te bewaren. Dit gebeurt door middel van ANPR, *Automated Number Plate Recognition*. De werking daarvan is op zich simpel. Je hebt een camera die continu beelden doorstuurt van passerende voertuigen. Als de camera modern genoeg is, worden de kentekens door software uitgelezen en met een *hotlist* vergeleken die van alles kan bevatten. Kentekens van voertuigen die nog niet jaarlijks zijn gekeurd. Kentekens van autobezitters die nog een belastingschuld moeten voldoen. Kentekens van voertuigen die bij misdrijven zijn gebruikt en die dus interessant zijn voor het opsporingsonderzoek. Met ANPR kan gericht gezocht worden naar bekende overtreders of criminelen en het levert de politie en andere toezichthouders een hoop extra ogen voor de handhaving.

Tot voor kort waren de Nederlandse politie en beleidsmakers vrij terughoudend in het gebruik van ANPR, maar dat is aan het veranderen. Een aantal jaren geleden is een werkgroep opgezet die de landelijke toepassing van ANPR verkent. Het Korps Landelijke Politie Diensten, dat de werkgroep leidt, is niet erg scheutig met informatie over de plannen: het heeft mij ruim een jaar gekost voordat ik het projectplan boven tafel kreeg. Uit de stukken spreekt een duidelijke voorkeur voor een toekomstig ANPR-systeem waarbij sprake is van een landelijk netwerk van camera's, een centrale opslag van verplaatsingsgegevens en nieuwe toepassingen met de data. Alle kentekens, dus van verdachte auto's en onverdachte auto's, worden minimaal vier weken bewaard. In Amsterdam is ondertussen een 'digitale slotgracht' aangelegd: geen auto kan de stad meer in of uit zonder in een database te belanden. Daarvoor hoefde geen nieuw systeem opgetuigd te worden. De politie gebruikt gewoon de milieucamera's die al bij iedere toegangsweg opgesteld staan.

Waar worden die gegevens voor gebruikt? Ten eerste voor de handhaving. De politie en andere toezichthouders maken hotlists van kentekens waarnaar men zoekt. Dat kan om keiharde gegevens gaan – bijvoorbeeld belastingontduikers, maar ook om boterzachte informatie afkomstig van Criminele Inlichtingen Eenheden (CIE's), de inlichtingendiensten van de politiekorpsen. Ten tweede kan een landelijke database worden gebruikt voor opsporing. Uit een van de KLPD-stukken:

> *Met* ANPR *kan een overzicht gemaakt worden van voertuigen die op een bepaald tijdstip in de buurt van een plaats delict aanwezig waren. Een andere toepassingsmogelijkheid is om via* ANPR *inzicht te verkrijgen in verkeersstromen om vervolgens afwijkende patronen te herkennen. Wanneer een ongewoon reispatroon door middel van analyse van het politieregister* ANPR *aan het licht komt, kan*

dat voor de politie reden zijn om een onderzoek in te stellen. Zo kunnen potentiële criminele activiteiten tijdig worden onderkend. De meerwaarde die ANPR in de toekomst kan bieden, is vooral gericht op (proactieve) informatieanalyse, datamining en het versterken van de informatiepositie van de politie. Doelstelling is het ontdekken van trends, patronen en profielen om daar passende interventiescenario's voor te kunnen opstellen of zelfs 'criminaliteitsvoorspellingen' uit te kunnen destilleren.

Car cloning

Dat laatste is geen toekomstmuziek, maar gebeurt nu al in Engeland, waar een dicht netwerk van tienduizenden camera's dagelijks honderd miljoen reisbewegingen vastlegt. De toen tachtigjarige vredesactivist John Catt werd in 2008 door de antiterreureenheid van de politie van Sussex naar de kant van de weg gedirigeerd. Het bleek dat zijn kenteken op een hotlist was terechtgekomen. Catt is echter nooit ergens voor veroordeeld. Onder de Terrorist Act was hij verplicht om de vragen van de politie te beantwoorden, anders moest hij mee naar het bureau. Het bleek dat hij bij twee verschillende demonstraties tegen de oorlog in Irak was gesignaleerd. Dat was verdacht. Na verhoor mocht Catt weer gaan. Het gebruik van hotlists is ook niet probleemvrij. In Engeland worden geregeld de verkeerde personen gearresteerd omdat een crimineel een kenteken heeft gedupliceerd, of zoals het in Engeland heet: *car cloning*. Inmiddels zouden al tienduizend auto's met valse kentekens rondrijden. In Nederland is deze vorm van fraude ook in opkomst. Eind 2011 pleitte VVD-kamerlid Charlie Aptroot voor een chip op iedere kenteken om diefstal eerder te ontdekken.

Ook aan de Nederlandse grenzen wordt een ANPR-systeem opgezet onder de vriendelijke naam @MIGO (Automatisch Mobiel Informatie Gestuurd Optreden). Over @MIGO is niet zo heel veel bekend. Het wordt maar een paar keer kort genoemd in Kamerstukken en online vind je een korte projectomschrijving bij TNO, een van de onderzoeksinstellingen die aan de wieg van het systeem heeft gestaan. Met een beroep op de Wet Openbaarheid van Bestuur haalde ik in 2010 en 2011 meer informatie naar boven, al werden de meest belangrijke stukken niet vrijgegeven of zwartgemaakt door het ministerie van Veiligheid en Justitie.

@MIGO is vanaf 2003 ontwikkeld door een samenwerkingsverband van LogicaCMG, TNO en de Koninklijke Marechaussee. @MIGO is een ANPR-systeem dat informatie over verdachte voertuigen sneller bij de marechaussee moet brengen, zodat die zijn taak in het toezicht op vreemdelingen effectiever en efficiënter kan uitvoeren. De marechaussee vergelijkt de kentekendata met verschillende bronnen, zoals die van de Rijksdienst voor het Wegverkeer, het Nationaal Schengen Informatie Systeem en het Opsporingssysteem. Een betere handhaving dus, op zich niets mis mee. Maar in een evaluatie van een proef in 2005 wordt alvast een horizon geschetst.

> *[Het is] de verwachting dat dergelijke technologische mogelijkheden een grote, zo niet doorslaggevende rol zullen gaan spelen in het kader van het (inter)nationale veiligheidsbeleid. Daarnaast is ook de verwachting dat de technologische ontwikkelingen, die met @MIGO in gang zijn gezet, van grote invloed zullen zijn op de manier waarop de opsporingsbevoegdheden in de toekomst zullen worden uitgebreid.*

Een belangrijk onderdeel van @MIGO is de zogenoemde dataminingmodule:

> *Dit betreft de intelligence-module waarmee automatisch, op basis van de kruisbestuiving en verbandcontroles van informatie- en berichtenstromen tussen de verschillende systeemmodules, trendanalyses en patronen van voertuigen inzichtelijk kunnen worden gemaakt. Voorts kan met deze module ook een prognose worden gegenereerd (van in- of uitreispatronen) betreffende de momenten dat een specifiek voertuig (of doelgroep) opnieuw wordt verwacht de locatie van de cameraopstelling te passeren.*

Daarvoor worden van tevoren 'kennisregels' opgemaakt waarvoor een verhoogde alertheid is geboden. 'Aan ieder profiel kan een prioriteitscode worden toegekend; de actueel gestelde profielen in combinatie met de toegekende prioriteitswaarden vormen de basis voor het informatiegestuurd kunnen optreden,' aldus LogicaCMG en TNO.

Maar wat een verdachte auto is en wat die kennisregels zijn, daar wil het ministerie niets over kwijt. Die stukken worden niet openbaar gemaakt of zijn zwartgemaakt. Terwijl het juist belangrijk is om transparant te maken wat als verdacht te boek staat. Als het om mobiel vreemdelingentoezicht gaat, kunnen we daar best naar raden. Een Poolse auto die telkens de grens bij Venlo oversteekt in perioden dat er veel inbraken worden gepleegd. Een busje met Italiaans kenteken dat eens per maand bij Maastricht binnenrijdt. Hoe @MIGO zich verhoudt tot de verschillende wetten die de omgang met persoonsgegevens regelen, of hoe @MIGO zich verhoudt tot het Verdrag van Schengen, weten we niet. Het ministerie wil adviezen daarover niet vrijgeven. Duitsland denkt daar anders over en heeft de Europese Commissie gevraagd om te onderzoeken of @MIGO het Schengen-verdrag schendt. Het ministerie van Immigratie, Integratie en Asielbeleid voelt nattigheid en schorte eind 2011 de ingebruikname op. De minister verklaarde ook dat het systeem nooit bedoeld is om 24 uur per dag te draaien, maar uit de vrijgekomen WOB-stukken blijkt dat dat pertinente onzin is.

Het probleem van deze intransparantie wordt prangender als we het aanbestedingsdocument voor de landelijke invoering erbij halen. Daarin staat toch heel duidelijk het volgende: 'De ontwikkelingen en ervaringen van de afgelopen jaren en toenemende samenwerking met andere OOV-diensten (Openbare Orde en Veiligheid, DT) hebben geleid tot het besef dat MTV (Mobiel Toezicht Vreemdelingen, DT) niet beperkt zou moeten blijven tot het huidige toezicht op de Vreemdelingenwetgeving, maar uitgebreid dient te worden tot toezicht Veiligheid. Daarmee komt het systeem impliciet ten dienste te staan van het opsporings-, handhavings- en beveiligingsproces in de volle breedte.' Ook de AIVD wil meekijken, al wordt dat niet met zoveel woorden gezegd.

Aan zowel @MIGO als de landelijke invoering van ANPR heeft geen enkel formeel besluit van de Tweede Kamer ten grondslag gelegen. Het is simpelweg zo gegroeid. De Tweede Kamer krijgt nog wel iets over ANPR op landelijk niveau te vertellen, maar pas als het systeem er ligt.

Ov-chipkaart als toegangspas

Tot slot is er natuurlijk nog de ov-chipkaart. Dit is meer dan een vervoersbewijs op een chip, maar ook een toegangspas tot bepaalde (openbare) ruimten en een instrument om opsporings- en intelligence-informatie te verkrijgen. Alle reisbewegingen worden immers vastgelegd en enkele jaren bewaard. De NS geeft alleen korting aan reizigers die op naam reizen, dus het reisbeeld is tamelijk compleet. Even een zijstapje, die korting kan technisch net zo goed via een anonieme kaart aangeboden worden, maar de NS wil graag gebruikmaken van de database voor marketingdoeleinden.

De ov-bedrijven, maar ook de overheid, hebben hierdoor een prachtige database in handen. Aan de hand van geaggregeerde reisgegevens kunnen ov-bedrijven hun inzet bepalen. Opsporingsdiensten mogen de data ook opvragen en gebruiken. Dat kan voor hele concrete delicten – waar was de verdachte op dat moment? Maar er wordt ook al gefantaseerd over andere toepassingen, waarbij vooral naar patronen wordt gekeken. Voor de Sociale Opsporings- en Inlichtingendienst (SIOD) is het bijvoorbeeld interessant om klantgegevens te koppelen aan reispatronen. Wie een patroon heeft dat veel weg heeft van woon-werkverkeer, wordt gecontroleerd.

Je verplaatst je tegenwoordig dus niet meer alleen door een fysieke realiteit, maar ook door een digitale. Dit leidt tot nieuwe problemen en vragen waar nog maar weinig debat over is. De barrières lijken in de fysieke wereld steeds meer te verdwijnen. Voorheen duidelijk gescheiden ruimtes – publiek en privaat – lopen in elkaar over, zonder dat je doorhebt van wie die ruimte is. Wie van de Oude Gracht in Utrecht naar de Kalverstraat in Amsterdam gaat, heeft alleen zijn benen een en ov-chipkaart nodig. Maar je begeeft je in openbare ruimte, het gebied van Corió, de eigenaar van winkelcentrum Hoog Catherijne, het station dat bezit is van ProRail, de trein van NS, wederom een station en de Amsterdamse winkelstraat, waar politie en private beveiliging samenwerken. Onder wiens regels val je allemaal en weet je dat wel? Op het eerste gezicht is sprake van een 'gladde ruimtes'. We bewegen ons zo soepel voort, ook internationaal, dat je vaak het idee hebt helemaal niet gecontroleerd te worden. Maar dat is schijn. Die controle is verplaatst naar het digitale domein. We worden meer gecontroleerd dan ooit en er zijn meer regels van kracht dan ooit – publiek en privaat.

Die gladde ruimte is niet voor iedereen even soepel te doorkruisen.

Goede, gave, risicoarme en winstgevende reizigers leg je zo weinig mogelijk in de weg. In ruil daarvoor moeten ze zich wel blootgeven. Neem de zakenmensen die gebruikmaken van het Privium-programma van Schiphol. Die mogen met een simpele biometrische controle zo doorlopen, ook in New York. Ze krijgen één keer een stevige intake en hun gegevens worden periodiek gecontroleerd. Ze geven zich dus vrijwillig bloot en krijgen daar reisgemak voor terug. Privium-leden mogen natuurlijk in een speciale, luxe lounge wachten.

Aan de andere kant staan de reizigers van wie weinig bekend is. Of waarvan de digitale schaduw vlekjes vertoont. In het bestellen van een halalmaatlijd wordt een risico gezien. Het reispatroon past niet binnen de normale geaggregeerde patronen. Een aantal keren ben je in de buurt gezien van een crimineel – de ov-chipkaart-poortjes hebben dat vastgelegd. Je hebt een vreemde reisbestemming. Je wordt daarom gecontroleerd, aan de kant gezet, in een aparte rij geplaatst.

Foute reiziger of foute informatie?

Deze sortering valt of staat met de kwaliteit van de data: klopt jouw digitale schaduw wel? Om er zo veel mogelijk zeker van te zijn dat de juiste data aan de juiste persoon worden gekoppeld, maakt men steeds meer gebruik van biometrie, dus lichaamseigenschappen die uniek zijn, zoals vingerafdrukken. Op zich lenen biometrische kenmerken zich prima voor dit soort controles. Maar wat als je geen goede vingerafdruk kunt afgeven – bijvoorbeeld vanwege ouderdom of omdat je zwaar lichamelijk werk verricht? Dan heb je al een probleem. Het komt niet heel vaak voor, laten we optimistisch zeggen dat in 95 procent van de gevallen een juiste authenticatie plaatsvindt. Schiphol verwerkt miljoenen reizigers per jaar. Een marge van vijf procent is een enorme belasting voor de reiziger, maar ook voor de beveiliging. Een gelaatscan kan lastig zijn als je een hoofddoek net even verkeerd draagt. Die mensen mogen dus meteen al naar de 'secundaire screening'. Maar hopen dat niet te veel beambten zijn wegbezuinigd.

Daarnaast schept biometrie een schijnveiligheid. Vingerafdrukken zijn redelijk uniek, maar ook makkelijk te stelen. Ga zelf maar eens na hoeveel vingerafdrukken je op een dag achterlaat. Het is tegenwoordig erg simpel om een vingerafdruk na te maken en op een dun filmpje te leggen dat over een vinger geschoven kan worden. Beveiligingsbedrijven hebben dit ook door en komen met nieuwe snufjes, bijvoorbeeld vingerafdruklezers die kunnen herkennen of een afdruk bij een levende vinger hoort. Dit geeft in ieder geval aan dat ook op dit front een wapenwedloop is ontstaan – zo overduidelijk veilig zijn vingerafdrukken dus niet. Daar komt bij dat vingerafdrukken ook in steeds meer databases worden bewaard. Sommige zwembaden en kinderdagverblijven vragen zelfs al om een vingerafdruk. Het ministerie van Binnenlandse Zaken wil graag dat van iedere Nederlander een afdruk in een centrale database komt, al zijn die plannen uitgesteld vanwege de enorme haken en ogen die aan zo'n centrale database kleven. Als steeds meer partijen jouw vingerafdruk bewaren, wat betekent dat dan voor de mogelijkheid om die afdrukken te stelen en te misbruiken? Daar is nauwelijk discussie over.

Een andere belangrijk instrument waarop veel fouten ontstaan, zijn de zwarte lijsten. Op de Amerikaanse zwarte lijst, aanvankelijk bedoeld voor antiterrorisme, staan een miljoen namen. Laat dat even op je inwerken: een miljoen. Toch stond de man die in 2010 probeerde om een bom te laten ontploffen op Times Square op een zwarte lijst. Hij kon zonder problemen boarden. Daarentegen wordt een achtjarig Amerikaans jochie van Ierse afkomst telkens tegengehouden. Zijn ouders krijgen hem maar niet van de zwarte lijst, omdat goede procedures daarvoor ontbreken. Het zijn anekdotes, maar de zwarte lijsten kraken onder hun eigen gewicht.

Toch zullen we dit soort systemen – waarbij biometrie en databases worden gekoppeld – nog veel meer gaan tegekomen. Op dit moment werkt de Europese Commissie aan een voorstel voor een zogenoemd *entry-exit*-systeem. 'Bonafide' reizigers mogen zo door geautomatiseerde checkpoints. Risicovolle reizigers, wat dat ook moge zijn, zullen zich aan extra inspectie moeten onderwerpen. Om soepel langs de poort te gaan, moeten natuurlijk wel jouw biometrische gegevens in een Europese databank komen. Kwestie van *copypasten* in het Nederlandse geval. Ook steeds meer private partijen maken hiervan gebruik, bepalen hiermee of je wel of niet naar binnen mag. Steeds meer kinderdagverblijven, zwembaden en bedrijven willen een vingerafdruk hebben. De deur gaat pas open zodra de digitale schaduw in orde is bevonden.

Maar niet alleen bepaalt de digitale schaduw of je ergens naar binnen mag of je vrij kunt bewegen, ook is de schaduw van belang bij het bepalen of de overheid bij je over de vloer komt. Of in welke mate je verdacht bent van, nou ja, eh... iets. In principe zijn alle burgers namelijk wel ergens van verdacht, al weten ze het zelf niet. Iedereen kan zich immers aan crimineel gedrag schuldig maken. Of je ook daadwerkelijk gecontroleerd wordt, hangt steeds vaker af van in welke wijk je woont, wat jouw achtergrond is en ja, hoe je digitale schaduw eruitziet.

8

Alle burgers verdacht

Het is nu al mogelijk een huisbezoek af te leggen en daar gevolgen voor het recht op kinderbijslag aan te verbinden als er geen toestemming voor het huisbezoek wordt gegeven. Dit kan echter alleen als de SVB (Sociale Verzekeringsbank) een vermoeden van fraude heeft. Ook als dat er niet is, kan het echter zinvol zijn een huisbezoek af te leggen om de gegevens die de ouder verstrekt heeft, te controleren. De regering vindt het gewenst dat er gevolgen voor de kinderbijslag verbonden kunnen worden aan het niet geven van toestemming voor een huisbezoek, ook als er geen vermoeden van fraude is.

Memorie van Toelichting en regeling in de sociale zekerheid van de rechtsgevolgen van het niet aantonen van de leefsituatie na het aanbod van een huisbezoek.

Wij komen de woning controleren

Ik ontmoet Devidas op een warme zomeravond in het Van der Vennepark in het Laakkwartier in Den Haag. Kinderen spelen in de speeltuin. Bewoners zitten in groepjes bijeen. Op zich een gezellig zomers tafereel. Maar ondanks dat de wijk kort geleden is gerenoveerd, oogt hij alweer verpauperd. Veel troep, junks en graffiti. Devidas vindt zijn eigen buurt maar niks. Te deprimerend. Mensen hier zitten vast in uitkeringen en armoede. Geef hem maar het Amerikaanse model, waar immigranten kansen grijpen, zegt de jonge libertariër (meer persoonlijke vrijheid, minder overheidsbemoeienis) en bewonderaar van Ayn Rand. Devidas geeft om zijn privacy, vandaar ook zijn pseudoniem. Een paar maanden voor ons gesprek werden zijn libertaire principes getest. De Haagse Pandbrigade, een integraal handhavingteam van de gemeente Den Haag, wilde zijn huis controleren. Het eerste gesprek ging naar eigen zeggen als volgt:

De bel gaat, ik kijk vanaf het balkon van mijn koopwoning naar beneden. Een forse blanke man en een zwarte vrouw staan bij het bellentableau te wachten.

Ik: 'Hallo, waar komt u voor?'

Man: 'Wij komen de woning controleren!'

Ik: 'Waar bent u van?'

Man: 'Wij zijn van de Gemeente Den Haag.'

Ik: 'Sorry geen interesse, niemand komt mijn privé-eigendom in zonder mijn toestemming.'

Man: 'Ik heb geen zin om te schreeuwen, komt u eens naar beneden.'

Ik: 'Volgens mij heb ik mezelf perfect verstaanbaar gemaakt, niemand komt erin zonder huiszoekingsbevel.'

Man: 'Weigert u mee te werken? We zijn van de GEMEENTE*!'*

Ik: 'Ik weiger inderdaad, we leven niet in de voormalige Sovjet-Unie, niemand komt erin zonder huiszoekingsbevel.'

Man: 'Oké, prima, dan gaan we die halen.'

Ik: 'Ik wens u nog een prettige dag verder.'

Man: '...'

Devidas vertelt dat hij eerst een goede reden voor de huiszoeking wilde horen. 'Als er een concrete verdenking tegen mij bestaat of als er een duidelijk maatschappelijk belang is zoals het bestrijden van direct brandgevaar, dan laat ik ze zo binnen. Maar als ze niet kunnen uitleggen waarvoor ze komen, of als een bezoek gebaseerd is op vage vermoedens, dan komen ze er niet in.' Zijn weigering bleef niet onbeantwoord. Er volgden brieven, telefoongesprekken en een hoop gehakketak. Een tijd later werd de ruzie een hit op GeenStijl, die op zijn gebruikelijke wijze de inspecteurs wegzetten als de voorhoede van een nazidienst. Na de ophef en Kamervragen van Rita Verdonk bond de gemeente in.

Gemeenten en politie treden sinds ongeveer tien jaar repressiever op tegen overlast en criminaliteit. Regels zijn regels en die moeten gehandhaafd worden, zo klinkt het daadkrachtig in de stadhuizen. In de praktijk blijken regels echter voor sommige mensen meer te gelden dan voor anderen. Daar zitten geen kwade bedoelingen achter, maar het leidt wel tot rechtsongelijkheid. Hoe vaak je als burger gecontroleerd, gefouilleerd of bezocht wordt door politie en handhavers, hangt in toenemende mate af van waar je woont en, in sommige gevallen, van je etniciteit.

Digitale schouw

Want waarom stond de Haagse Pandbrigade bij Devidas op de stoep? De algemene werkwijze van de Pandbrigade is duidelijk. De *backoffice* houdt een zogenoemde digitale schouw bij, waarbij allerlei gemeentelijke gegevens worden gewogen. Als een pand 'verdacht' is volgens de schouw, volgt een huisbezoek. Maar wat is verdacht? Dat werd nergens uitgelegd. In 2010 vroeg ik bij de gemeente daarom de openbare stukken op over de brigade. Een woordvoerder probeerde me af te poeieren met wat openbare convenantjes en een evaluatie die ik ook wel van de site kon plukken. Ik deed daarop een beroep op de Wet Openbaarheid van Bestuur en werd prompt uitgenodigd voor een gesprek op de afdeling die de brigade aanstuurt. Uit het gesprek bleek dat er maar weinig voor nodig is om een bezoekje van het 'integrale handhavingsteam' te krijgen.

De Haagse Pandbrigade is begonnen als een tijdelijk project: *Inhaalslag Handhaving*. Met het doel is op zich niets mis: het vergroten van de leefbaarheid en veiligheid in de wijken. Het gaat hierbij om de achterbuurten die in een optimistisch beleidsjargon een paar jaar terug tot kracht- of prachtwijken zijn bevorderd. In Den Haag zijn dat Rustenburg, Oostbroek, Regentessekwartier, Valkenboskwartier en het Laakkwartier. De brigade richt zich vooral op overbewoning, illegale verhuur, onjuiste inschrijvingen in de gemeentelijke basisadministratie (GBA) en uitkeringsfraude. Het idee is dat er projectmatig controles worden uitgevoerd door een integraal handhavingsteam, bestaande uit ambtenaren van verschillende diensten. Met een google-maps-achtige applicatie wordt op een huizenblok ingezoomd en worden enkele gemeentelijke databestanden doorgespit. Daar rolt een lijst met 'risicopanden' uit die in aanmerking komen voor een huisbezoek.

Ruime criteria

Het systeem dat automatisch risicoscores aan panden zou hangen, werd in 2007 opgeleverd, maar het heeft nooit goed gefunctioneerd. In de praktijk gaat het er daarom minder flitsend aan toe. De backoffice neemt op dit moment handmatig twee Excelbestanden door. De eerste is een lijst met codes van de gemeentelijke basisadministratie. Die lijst vertelt wie er op een adres behoren te wonen. De codes zijn:

1= gezinshoofd volledig gezin zonder kinderen
2= gezinshoofd volledig gezin met kinderen
3= gezinshoofd onvolledig gezin zonder kinderen
4= echtgenote
5= kind binnen gezin
6= alleenstaande
7= hoofd partnerrelatie (zelfde sekse)
8= hoofd huwelijksrelatie (zelfde sekse)

Waarom een homostel blijkbaar een eigen categorisering krijgt, is mij niet duidelijk.

Als er meerdere codes 6 op een adres ingeschreven staan, oftewel meerdere alleenstaanden, wordt er een huisbezoek afgelegd. Dat kan erop duiden dat er sprake is van illegale kamerverhuur. In de praktijk betekent dit dat als je een huisgenoot hebt, bijvoorbeeld een student, je een bezoekje van de dienst kunt verwachten. Ook gezinnen met één of meerdere alleenstaanden op dat adres worden bezocht.

Daarnaast doet ook de Dienst Sociale Zaken en Werkgelegenheid mee met de brigade. Bij aanvang van het handhavingsproject werden alle uitkeringsadressen bezocht. Sinds maart 2010 gaat men iets minder rigoureus te werk. De volgende categorieën worden aan een inspectie onderworpen:

- Alleenstaande ouders die tijdens de uitkeringsperiode een kind hebben gekregen.
- Cliënten die langer dan drie jaar een uitkering krijgen en waarvan geen aanvragen voor bijzondere bijstand van bekend zijn.
- Cliënten die een uitkering ontvangen naar de alleenstaande-oudernorm met als woonsituatie gedeelde woning.
- Cliënten die in het verleden regelmatig gefraudeerd hebben wat betreft de woonsituatie.

– Cliënten die nog gehuwd zijn, maar niet op hetzelfde adres ingeschreven staan als hun huwelijkse partner.

Met zulke ruime criteria is het dan ook niet zo vreemd dat de aantallen te bezoeken panden gigantisch zijn. Tussen oktober 2005 en maart 2007 zijn alle 25.935 adressen in Rustenburg, Oostbroek, Regentesse- en Valkenboskwartier digitaal geschouwd. Bij 7955 adressen, dus een derde van het totaal, gaf de uitkomst van de schouw aanleiding om een bezoek aan het pand te brengen. Tussen 1 april 2007 en 1 juli 2008 werden 16.509 adressen in Laak digitaal gecontroleerd. Bij 11.057 adressen, ruim twee derde, gaf de uitkomst van de schouw aanleiding om een bezoek aan het pand te brengen. Na vijf tot tien procent van de bezoeken volgde een actie. Dat lijkt flink, maar een actie is in dit geval 'elke vorm van communicatie tussen burgers en een van de diensten van de gemeente Den Haag ten einde overtredingen van de geldende wet- en regelgeving op te heffen'. Over de zwaarte van de overtreding wordt niets gezegd.

Een van de brigadiers vertelde me dat het aantal geconstateerde overtredingen bij huisbezoeken tegenvalt. Dat komt omdat de GBA boordevol fouten zit. Op papier ziet een pand er verdacht uit, maar tijdens de inspectie blijkt er niets aan de hand te zijn. Dat probleem wordt langzaam beter, maar zal altijd blijven bestaan, zegt ze. Het valt haar op dat de informatie snel veroudert. Het GBA is heel erg vervuild. Maar, zo valt een andere medewerker haar bij, 'mensen zijn dan ook in overtreding. Omdat ze zich bijvoorbeeld niet goed hebben ingeschreven in het GBA. Onze aanwezigheid is daarmee gerechtvaardigd.' De controle heeft dan zijn doel bereikt.

Toenmalig verantwoordelijk wethouder Norder (PvdA) was uiteraard enthousiast over de resultaten van project *In-*

haalslag Handhaving. 'Tussen de deelnemende diensten worden onderling gegevens uitgewisseld die veel bruikbare informatie opleveren,' vertelt hij in 2008 aan de gemeenteraad. 'Diensten worden door een overtreder niet tegen elkaar uitgespeeld en overtreders kunnen in één keer voor verschillende overtredingen worden aangepakt. Dit vergroot de slagvaardigheid. Bovendien vindt door een integraal team van inspecteurs één controle plaats. Dit is efficiënt en klantvriendelijk. Daarnaast kan door samenwerking met de Belastingdienst de "terugverdiencapaciteit" worden verbeterd.' Met andere woorden: er valt geld te halen. Bij de afsluiting van het project waarschuwde Norder voor terugval. Wat hem betreft zou de Haagse Pandbrigade een vaste plek moeten krijgen in de stedelijke handhaving. Dat is inmiddels gebeurd.

En waarom ook niet het werkgebied uitbreiden? 'Om nog doeltreffender te zijn wordt de samenwerking met andere diensten versterkt, zowel intern als extern, Belastingdienst, UWV, IB-Groep. Het Project *Inhaalslag Handhaving* wordt in 2009 verbonden met de Centra Jeugd en Gezin via het meldpunt van Den Haag OpMaat van de dienst Sociale Zaken en Werkgelegenheid. Zorgsignalen worden gemeld bij het meldpunt en wanneer het gezinnen betreft, worden deze doorgeleid naar het Centrum voor Jeugd en Gezin,' aldus de wethouder. Inmiddels werkt de brigade inderdaad samen met andere partijen. Met leerplichtambtenaren bijvoorbeeld. Als een brigadier een kind tegenkomt dat redelijkerwijs op school had moeten zitten, wordt de leerplichtambtenaar ingeschakeld. Andersom geeft de leerplichtambtenaar aan de brigade vermoedens van overbewoning, vervuiling of illegaliteit door.

Ook geeft de brigade signalen af bij het sociaal meldpunt.

Dan gaat het bijvoorbeeld om ernstige vervuiling, armoede, zeker in combinatie met opgroeiende kinderen, als er gehandicapte kinderen zijn die niet tot wasdom kunnen komen. Er wordt ongeveer twee keer per maand gemeld. Ook vermoedens van mensenhandel worden gemeld. Een van de medewerkers die ik spreek, geeft aan moeite te hebben met het doorgeven van meldingen. Daar voelt ze zich niet voor opgeleid. Op dit moment heeft ze nog wel de discretie om er al dan niet op te handelen. Maar ze voelt ook wel de druk om toch te melden. Als er iets mis is gegaan wordt de gemeente erop aangesproken: jullie zijn er net toch geweest?

Achter de voordeur

Handhaven tot achter de voordeur is populair, niet alleen in Den Haag. Veel steden kennen imiddels integrale handhavingsteams die op zoek zijn naar allerlei problemen. Dit beleid is praktisch ingestoken en zonder al te veel sturing van bovenaf gegroeid. Omdat de initiatieven vaak lokaal worden opgezet, is er ook weinig landelijk debat geweest over de groei van dit soort praktijken. Soms gaat het mis, zoals in Rotterdam, waar de gemeentelijke ombudsman de integrale handhavingsteams berispte om hun horkerige gedrag. Ondertussen is grotendeels aan het zicht onttrokken dat er een controlerend stelsel is opgezet, waarbij de deelnemende uitvoeringsorganisaties telkens hun taakopvatting verder uitbreiden. En dat gebeurt lang niet altijd zorgvuldig.

De Sociale Inlichtingen- en Opsporingsdienst (SIOD) is een goed voorbeeld. In het voorjaar van 2011 kreeg de dienst een last onder dwangsom opgelegd van het College Bescherming Persoonsgegevens (CBP), omdat hij de persoonsgegevens van uitkeringsgerechtigden niet goed beveiligde, ze langer bewaarde dan nodig was en de betrokkenen niet over de informatiebewerking informeerde. De SIOD is een belangrijke partij voor de gemeentelijke handhavingteams, want hij levert informatie aan over mogelijke fraudeurs. De dienst werd in 2007 al eens teruggefloten, omdat het bestanden van watermaatschappijen koppelde aan zijn eigen bestanden. Wie weinig water gebruikte, woonde waarschijnlijk elders. Een alleenstaande die juist veel water gebruikte, woonde misschien wel samen.

Op instigatie van het CBP ontwikkelde het SIOD hierna risicoprofielen van alle uitkeringsgerechtigden. Geanonimiseerde bestanden werden in een black box gekoppeld en verwerkt tot risicoprofielen. Bij een risicovol profiel, dus een die op fraude wees, werden de gegevens gedeanonimiseerd. De SIOD kon vervolgens de lijst met risicogevallen naar gemeenten sturen zodat de risicovolle uitkeringsgerechtigden een huisbezoek kregen 'aangeboden'. In dit proces bleek van alles mis te gaan volgens het CBP. De gegevens werden niet beveiligd aangeleverd. De beveiliging rondom de black box, waar zeer gevoelige informatie werd verwerkt, deugde niet. Maar belangrijker nog was dat de SIOD helemaal geen terugkoppeling kreeg over welke uitkeringsgerechtigden daadwerkelijk op fraude waren betrapt. Op die manier was dus niet na te gaan of de risicoprofielen ook klopten of dat ze misschien bijgesteld moesten worden. Bij onjuiste profielen krijgen de verkeerde, dus onschuldige mensen een huisbezoek.

Uit het onderzoek van het CBP bleek ook hoe de taken van het SIOD onder de radar enorm zijn uitgebreid. Het bleek dat de opsporingsdienst ook risicoprofielen maakte die betrekking hadden op mogelijke maatschappelijke problemen, en niet alleen fraude. Het rapport meldt:

Dat betekent dat naast indicatoren die betrekking hebben op fraude, overlast en criminaliteit ook indicatoren die betrekking hebben op maatschappelijke ondersteuning worden verwerkt. Zo heeft de SIOD bijvoorbeeld bij de leerplichtambtenaar verzuimmeldingen opgevraagd en verwerkt van kinderen in de betreffende wijk. De SIOD heeft ook de gegevens verwerkt van volwassenen die ouder zijn dan dertig jaar en die na hun vijfentwintigste weer bij hun ouder(s) zijn gaan wonen. Ook deze verwerking heeft als doel de behoefte aan maatschappelijke ondersteuning in kaart te brengen. Het oorspronkelijke doel van de (ontwikkeling van de) risicoprofielen was fraudebestrijding in de sociale zekerheid. Door persoonsgegevens te verwerken ten behoeve van maatschappelijke ondersteuning is de doelstelling, en daarmee ook de omvang, van de bestandskoppelingen aanzienlijk verruimd.

Henk Kamp, destijds minister van Sociale Zaken, reageerde als door een wesp gestoken. Hij kondigde meteen aan in beroep te gaan tegen de uitspraak. Bij fraudebestrijding moest bestandskoppeling mogelijk zijn, was zijn verweer. Dat betwistte het CBP echter niet. Het CBP wilde alleen dat de informatie op een juiste en veilige manier werd gebruikt.

De ambitie van politici om problemen aan te pakken zorgt wel vaker voor een selectieve blindheid. In 2009 werd een wetsvoorstel in de Tweede Kamer behandeld waarin alle uitkeringsgerechtigden een huisbezoek moesten tolereren als daar aanleiding toe zou zijn. Dat gold voor bijstandsgerechtigden, maar ook voor AOW'ers, ouders die kinderbijslag kregen, weduwen, et cetera. Zoals we hierboven hebben kunnen zien, is het maar de vraag of een verdachte situatie wel zo verdacht is.

Iedereen tegen de muur

Die ruime opvatting van wat verdacht is, zien we ook terug in het lokale veiligheidsbeleid, in het bijzonder bij preventief fouilleren. Begin jaren nul is op beperkte schaal met preventief fouilleren begonnen. Inmiddels is het een vast instrument van de politie in alle grote gemeenten. De politie kan in 'veiligheidsrisicogebieden' onverdachte burgers fouilleren en een wetsuitbreiding voor fouilleren in heel Nederland is in de maak. Weigeren is geen optie. Het fouilleren leidt tot veel onrust. Volgens de politie is het een effectief middel om het openbare wapenbezit aan te pakken. Tegenstanders menen dat het stigmatiserend werkt en de praktijk niet past in een democratie.

Er zijn evaluaties genoeg, maar de interpretaties ervan lopen flink uiteen. Daar waar de politie, in het bijzonder de raad van hoofdcommissarissen, de maatregel bejubelen, is het onderzoekscollectief Buro Jansen een stuk kritischer. In 2008 startte het een diepgaande evaluatie naar de fouilleringspraktijk aan de hand van cijfers in Den Haag en Amsterdam. De conclusies zijn opmerkelijk. 'Aan het woud van bevoegdheden zoals permanent cameratoezicht, strafbaar gestelde (overlast)gedragingen en verwijderingsbevelen (...) werd preventief fouilleren toegevoegd. Dit zou de buurt veiliger maken en het (vuur)wapenbezit terugdringen. Vier jaar later is het aantal geweldsincidenten in de buurt niet gedaald, maar juist gestegen en is het aantal wapens dat gevonden wordt bij de gefouilleerde mensen en het aantal arrestanten op grond van de Wet Wapens en Munitie niet gedaald, maar gestegen,' schrijft Buro Jansen op zijn site.

In Amsterdam werden de fouilleringsmaatregelen ingezet als tijdelijk en dan vooral in het centrum en in de Bijlmer.

Daar is weinig van gebleken, want om de paar weken wordt daar een actie op touw gezet. De maatregel is ook uitgebreid naar andere stadsdelen, waaronder Slotervaart, waar vooral veel Marokkanen wonen. Buro Jansen ziet in alle stukken, met een beroep op de Wet Openbaarheid van Bestuur verkregen, een hoop gegoochel met cijfers en schrijft:

> *Naast het jongleren met cijfers worden allerlei feiten op een hoop gegooid. Zo wordt bijvoorbeeld vuurwapenbezit op één lijn gesteld met het meedragen van een schroevendraaier of een aardappelschilmesje. Dit levert geen waarheidsgetrouw beeld van de opbrengsten van het preventief fouilleren op. Periodes zijn niet met elkaar te vergelijken, omdat die zowel qua lengte als qua specifieke periode verschillen. Tevens worden bepaalde gegevens, het fouilleren in horecagelegenheden, wel verstrekt over het ene jaar, maar niet over het andere jaar. Het aantal uren effectief fouilleren op straat bijvoorbeeld is na 2006 niet meer terug te vinden in de rapportages, maar geven een goede indicatie van het daadwerkelijke politiewerk.*

Zero tolerance

De Nederlandse politie heeft het preventief fouilleren afgekeken van Amerika, waar al sinds de vroege jaren negentig in veel steden een *stop and frisk*-beleid (tegenhouden en fouilleren) van kracht is. Maar de Nederlandse politie heeft niet alle lessen gevolgd. In de VS staat het preventief fouilleren namelijk onder druk en stoppen veel steden ermee. Vooral in New York woedt een hevig debat over het nut en de noodzaak van preventief fouilleren en de grotere maatschappelijke gevolgen ervan. De stad loopt voorop in informatiegestuurd politiewerk. De NYPD houdt grote databases bij van wie er gearresteerd wordt, waar en voor wat. Die informatie wordt continu gebruikt om *hotspots* aan te wijzen en extra te controleren. Dit informatiegestuurd werken – dat ook in Nederland wordt toegepast en wordt gebruikt om onder meer veiligheidsrisicogebieden aan te wijzen – geeft het politiewerk een glans van objectiviteit. Er wordt immers naar harde cijfers gekeken.

Die cijfers blijken echter niet zo hard. *The New York Times* onthulde in 2010 dat er op grote schaal met die cijfers wordt geknoeid, om prestaties van politiedistricten mooier af te schilderen dan ze zijn. Het gevolg is dat de politie soms op de verkeerde plekken controleert. Daarnaast vertellen de cijfers ook een ander verhaal. Wie zwart is loopt in New York 25 procent meer kans om aangehouden te worden dan blanken. Voor latino's is dat cijfer bijna 40 procent. Hierin zijn de verschillen in criminaliteitscijfers tussen de etnische groepen al verwerkt. Het argument dat zwarten en latino's relatief meer misdrijven begaan en daardoor oververtegenwoordigd zijn in het preventief fouilleren, gaat dus niet op.

De statistieken raken ook vervuild door wat ik maar het 'zoek-en-gij-zult-vinden-mechanisme' noem. Een persoonlijk verhaal van mijn voormalige huisbaas in New York, Hilary King, kan dit verduidelijken. King is een vriendelijke man, die jarenlang agent is geweest in een slecht district in Queens, het grootste en etnisch meest diverse stadsdeel van New York. Onder burgemeester Guilliani werd het preventief fouilleren in de jaren negentig enorm uitgebreid met als doel om het wapenbezit aan te pakken. Op zich was King daar wel voor te porren: wapenbezit is een enorm probleem in de stad. Tijdens de controles werd echter van alle overtredingen werk gemaakt. Wie geen wapen bij zich had, maar wel een jointje, moest mee naar het bureau. In de jaren negentig werd ook de zogenoemde Rockefeller-wet van kracht: drugsbezit werd vrijwel automatisch bestraft met gevangenisstraf. King vond dit erg oneerlijk. Omdat bewoners van een slechte wijk om een legitieme reden extra werden gecontroleerd, eindigden veel mensen, vooral jongeren, in de gevangenis. 'Als we echter drugs van de straten wilden halen, konden we beter in de buurt van de universiteiten controleren. Iedereen wist dat daar enorm werd gedeald in wiet en cocaïne. Maar ja, dat waren blanke kinderen in goede buurten, dus die ontsprongen de dans.' King maakte zich er zo kwaad over dat hij ontslag nam. De cijfers gaven weliswaar aan dat in die achterstandswijken meer drugshandel en andere misdrijven voorkwamen, maar in andere buurten kwamen die gewoon niet aan het licht, omdat daar niet gecontroleerd werd. De statistische basis onder veel politiewerk raakte daarmee vervuild.

Er zijn ook andere redenen om van preventief fouilleren af te stappen. Het sleepnet is simpelweg te groot. In een lang stuk in *The New Yorker* legt politiechef James Whalen van Cincinnati uit dat preventief fouilleren en zero tolerance een schot hagel zijn. Hoe slecht een buurt ook is, er wonen, werken en leven altijd veel meer mensen die niets verkeerds doen. Het gevaar bestaat dat die bang voor of boos op de politie worden en dat de lokale gemeenschap zo dus vervreemd raakt van de wetshandhavers. Het zijn namelijk altijd dezelfde buurten en mensen die erdoor geraakt worden. De hoge maatschappelijke kosten zijn volgens hem niet meer te verantwoorden gezien de geringe baten. In de achterstandswijk Brownsville in Brooklyn bijvoorbeeld (14.000 inwoners) wordt gemiddeld iedere bewoner minstens één keer per jaar staande gehouden, terwijl de criminaliteitcijfers niet zo gek veel afwijken van andere zwakke wijken. De spanningen tussen bewoners en politie zijn groot. Inmiddels spreken ook politiechefs in Engeland zich uit tegen het preventief fouilleren: de geringe opbrengst weegt niet op tegen de verstoorde verhoudingen met de gewone bevolking.

Waar de boosheid van de bewoners vandaan komt, is duidelijk. Ze willen niet als verdachten worden behandeld. Toch gebeurt het laatste decennium precies dat: in de nieuwe daadkrachtige filosofie van opsporings- en veiligheidsdiensten is iedereen in potentie verdacht. In Nederland wil het kabinet-Rutte het preventief fouilleren naar heel Nederland uitbreiden. Maar zullen inwoners van Wassenaar dan ook tegen de muur worden gezet?

Datahonger van de politie

Politie- en veiligheidsdiensten mogen steeds meer informatie opslaan en die informatie langer bewaren. Met de Wet Vorderen Gegevens mogen ze alle persoonsgegegevens opvragen die bij bedrijven, overheden en stichtingen aanwezig zijn. Voor gevoelige gegevens, zoals seksuele voorkeur, ras, geloof et cetera is officieel toestemming nodig van de rechter-commissaris, al wordt deze procedure geregeld niet gevolgd. Internet- en telefoonverkeer, bankgegevens, belastingaangiften, lidmaatschapslijsten, browsegeschiedenis, vrijwel alles is op te vragen en te doorzoeken. De gegevens hoeven niet eens betrekking te hebben op een verdachte. Een aanwijzing voor een mogelijk strafbaar feit is voldoende.

Een complicerende factor is dat steeds meer gedrag als strafbaar wordt gezien. Werd grensoverschrijdend gedrag van jongeren vroeger vaak afgedaan als balorigheid, tegenwoordig wordt dat gedrag eerder gezien als crimineel en als zodanig bestreden. Jongeren zijn geen kinderen meer die door een lastige levensfase moeten, maar vallen binnenkort, als het aan sommige politieke partijen ligt, onder een nieuwe vorm van recht, het adolescentenstrafrecht. Dat geldt ook voor extremisme. Oud-minister Guusje ter Horst (PvdA) stelde in 2009 voor dat dierenwelzijnsorganisaties een manifest zouden tekenen waarin ze verklaren altijd binnen de grenzen van de wet te opereren. Het plan werd meteen afgeschoten als zijnde belachelijk, maar het geeft wel aan hoe de cirkel van wat extreem is, in bestuurlijk-politieke kringen flink wordt opgerekt.

De grens tussen verdacht en onverdacht is niet de enige die is verlegd. Onder het mom van problemen eerlijk benoemen maakt de overheid ook steeds meer onderscheid op basis van etniciteit. Etnisch profileren is aan een opmars bezig, ook al wordt dat door iedereen in het politie- en veiligheidsveld ten stelligste ontkend. Volgens Quirine Eijkman, senior onderzoeker aan het Centre for Terrorism & Counterterrorism van de Universiteit Leiden, zijn beleidsmakers en rechtshandhavers echter te stellig dat etnisch profileren niet plaatsvindt. 'Ik geloof best dat de intentie er inderdaad niet is, maar dat zegt nog niets over de discriminatoire effecten van beleid in de praktijk.' Als voorbeeld noemt ze de Verwijsindex Antillianen. Het idee is om Antilliaanse probleemjongeren te registreren in een aparte database. 'Dit plan is inmiddels van tafel, maar je ziet dezelfde discussie ontstaan bij de registratie van Roma.' Een ander voorbeeld is volgens Eijkman preventief fouilleren. 'Op zich is het idee daarachter niet om etnisch te profileren. In de praktijk gebeurt dat soms wel. Preventief fouilleren gebeurt vaker in achterstandswijken en daar wonen nu eenmaal veel allochtonen.' Een soortgelijk fenomeen doet zich voor bij de drugscontroles voor alle vluchten uit Suriname. 'We pleiten er al langer voor om onderzoek te doen naar etnisch profileren in Nederland, maar ik merk in mijn contacten dat het gevoelig ligt.'

Etnisch profileren is allesbehalve onschuldig, zegt Peter Rodrigues, senior onderzoeker bij de Anne Frankstichting. Het kan leiden tot stigmatisering en vervreemding. 'In onze samenleving is er de laatste jaren de sterke neiging om problemen van een etnisch label te voorzien. In de bestrijding van de scootercriminaliteit in Amsterdam hoorde ik de politie bijvoorbeeld zeggen dat ze vooral Marokkaanse jongens op de korrel namen. En afgelopen zomer werden vooral Poolse vrachtwagenchauffeurs door de politie aan een alcoholcontrole onderworpen. We zijn dit soort uitspraken en acties heel normaal gaan vinden.' Het kan volgens Rodrigues gevaarlijk zijn om hele bevolkingsgroepen weg te zetten. 'Ongeveer zeventig procent van de opgeloste criminaliteit wordt überhaupt opgelost omdat burgers naar voren komen met informatie. Als je een groot deel van die burgers het idee geeft dat de politie het op hen heeft voorzien, zullen die dat niet zo snel meer doen.'

De politie en overheid hebben veel hoop gevestigd op profileren, op het anticiperen op crimineel gedrag en komen daardoor steeds dichter op onze huid te zitten: achter de voordeur of soms letterlijk op straat, in een veiligheidsrisicogebied. Maar wat politie en overheden doen, is nog kinderspel vergeleken met wat bedrijven kunnen. Het is niet voor niets dat veel profilering van overheidswege is afgekeken van de private sector. Daar gebeuren de 'sexy' dingen. En daar zit veel spanning – al hebben we dat vaak niet door. Want wat ben je eigenlijk? Een profiteur? Een passant? Een potentiële wegloper? Of ben je een waardevolle partner? Bedrijven onttrekken continu gigantisch veel persoonsgegevens van (mogelijke) klanten. Ze gebruiken die om de waarde van een consument in te schatten. Verliesgegevende consumenten kun je weren. Winstgevende moet je omarmen. Nergens wordt er zoveel geprofileerd als in het bedrijfsleven. En dat is geen goed nieuws.

9

Klassenstrijd in de consumptiemaatschappij

Mosaic Huishouden is de belangrijkste consumentenclassificatie van Nederland. Door gebruik van verschillende registratiedata en marketingonderzoek zijn de Nederlandse huishoudens gesegmenteerd in verschillende groepen en onderverdeeld in verschillende types per groep. Per huishouden wordt er een beeld geschetst met betrekking tot de demografie, levensstijl, cultuur en het gedrag.

Website Experian

Onbetrouwbaar

Ralph Hupkens wilde een abonnement voor zijn mobieltje afsluiten bij KPN. Het bedrijf weigerde: hij was niet kredietwaardig. Vreemd. Vlak daarvoor had hij zonder problemen een hypotheek van tweeënhalve ton afgesloten voor zijn nieuwe huis in Haarlem. Hupkens belde KPN. De medewerker van het callcenter kon alleen oplezen wat het computerscherm toonde. Hij kreeg het advies contact op te nemen met databedrijf Experian, dat voor KPN risicoprofielen van nieuwe klanten maakt. Een medewerker van Experian op zijn beurt vertelde dat op zijn adres 'negatieve kredietinformatie' was gevonden.

Toen viel het kwartje. Hupkens had zijn huis in een executieverkoop gekocht: de vorige bewoner kon niet aan diens betalingsverplichtingen voldoen. 'Ik werd beoordeeld op zíjn betaalverleden. Experian keek naar informatie op adresniveau, in plaats van op persoonsniveau. Ik kon het laten veranderen, maar dan moest ik een hele papierwinkel invullen. Daar had ik geen zin in. Ik heb die fout niet gemaakt.' Hupkens liet KPN voor wat het was en stapte over op een andere telefoonaanbieder. Daar kreeg hij zonder problemen een abonnement.

Of hij er verstandig aan heeft gedaan om zijn informatie niet te veranderen, is de vraag. Hupkens' slechte risicoprofiel kan als een boemerang bij hem terugkomen: Experian levert aan meer dan drieduizend bedrijven informatie over Nederlandse consumenten. Er zijn dus nog een hoop bedrijven die een verkeerd beeld van Ralph Hupkens kunnen krijgen. Ik vroeg Experian om uitleg over hoe ze te werk gaan. Een prdame mocht geen vragen beantwoorden – alleen het kantoor in Londen 'deed' persvragen en ze zou mijn vragen doorgeven. Ondanks herhaalde telefoontjes en e-mails heb ik nooit meer iets van Experian gehoord.

In de orde der dingen lijkt dit voorbeeld niet zo dramatisch, maar toch raakt het iedereen. 'Experian beschikt over een immens grote databank, met uiteenlopende gegevens van 7,5 miljoen Nederlandse huishoudens,' meldt de website trots. Experian meet zijn wereldwijde omzet in miljarden en is bij lange na niet de enige datagigant die succesvol in persoonsgegevens handelt. De laatste jaren is een aantal datareuzen ontstaan die zoveel informatie verzamelt, dat de kans erg groot is dat je ook in hun databases staat. Er zijn datastofzuigbedrijven die simpelweg zoveel mogelijk verzamelen om door te verkopen aan anderen. Dit zijn bedrijven als Lexis Nexis ChoicePoint, Experian en Graydon. Daarnaast zijn er advertentiebedrijven die op zo veel mogelijk platforms internetters volgen en die informatie verrijken met *offline* bestanden. Dit zijn bedrijven als Google DoubleClick, 24/7 Real Media en ValueClick. En dan zijn er nog de zoek- en social media-reuzen als MSN, Yahoo!, Facebook en Hyves (goed, die is wat minder groot), die vreselijk veel data verzamelen. En tot slot is er nog de grote kampioen dataverzamelen: Google, die geen enkele stofzuigstrategie onbenut laat.

Het is geen toeval dat juist deze bedrijven zo'n onstuimige groei hebben doorgemaakt. De laatste decennia is een *personal information economy* ontstaan, waarin consumentengegevens de smeerolie zijn geworden van de dienstverlenende sector. Alles in deze informatie-economie draait om een simpel proces, dat haast als een mantra continu wordt herhaald: meten = weten, weten = voorspellen en voorspellen = beheersen.

Met de opkomst van informatietechnologie en vooral met de diepe penetratie van internet in ons leven worden steeds meer klantgegevens en klantgedrag gemeten en geregistreerd: immers *alles* wat je online doet is in potentie zicht- en meetbaar. Die gegevens worden gekoppeld met demografische, sociale, economische en gedragspsychologische informatie, afkomstig uit andere, vaak weer *offline*, bronnen. Daarmee proberen bedrijven vragen te beantwoorden als wie is deze klant? Wat voor soort klant is hij? Wat drijft hem? Wat zijn zijn verlangens? Hoe zal hij zich in de toekomst gedragen? Waar liggen nieuwe verkoopkansen? Met welke mate van service en welke prijs bind ik waardevolle klanten aan mijn bedrijf? Van welke klanten kan ik verwachten dat ze te laat betalen of helemaal niet? Zitten er criminelen of terroristen onder mijn klanten? De slimste bedrijven weten wanneer ze moeten toehappen en wanneer ze een klant beter negeren. De slimste bedrijven weten haast meer van jou dan jijzelf. De slimste bedrijven houden controle.

Er is ook een bittere noodzaak om persoonsgegevens te gebruiken. Zonder consumenteninformatie loopt een bedrijf snel vast. De concurrentie voor veel dienstverlenende bedrijven is moordend geworden door globalisering en de opkomst van internet. De marges worden alsmaar kleiner. Consumenten zijn veeleisend en verwachten comfort, flexibiliteit, een persoonlijke benadering en 24/7-service. Door data slim te gebruiken, kunnen bedrijven kansen en risico's vroeg ontdekken. Ze kunnen een compleet beeld krijgen van consumenten die niet geneigd zijn uit zichzelf met de billen bloot te gaan. Informatie is een basisvereiste geworden, een grondstof voor goed ondernemen. Net zoals elektriciteit en transport dat zijn. Het gevolg is een haast onverzadigbare honger naar persoonsgegevens.

Maar hoe wordt die honger gestild?

Op funda.nl kun je met één druk op de knop zien welke kranten er in een buurt worden gelezen, wat het gemiddelde inkomen is in de straat en wat de lifestyle van de buren is. Dat hebben we mede te danken aan de overheid. In de jaren zeventig, tachtig en negentig van de vorige eeuw hebben alle westerse overheden een vloedgolf aan demografische, sociale, economische en statistische informatie op de markt losgelaten. Het Sociaal en Cultureel Planbureau, het Centraal Bureau voor de Statistiek, het Kadaster, het Centraal Planbureau en de Raad voor de Rechtspraak: ze leveren allemaal openbare informatie over de Nederlandse bevolking. Op postcodeniveau is daarom erg veel bekend. Voor bedrijven is deze demografische informatie een dankbare en veelgebruikte bron.

De meeste informatie laten we echter zelf achter, simpelweg door spullen te kopen. Nu steeds meer transacties met bankpas en creditcard worden betaald, zien winkels en bedrijven wie wat wanneer heeft gekocht. Ze zitten op een gouden berg aan informatie, waarmee ze klantanalyses kunnen uitvoeren. Stel je koopt bij de Albert Heijn iedere vrijdag een Euroshopper-rookworst. Dan kan het voor de supermarkt interessant zijn om je op een woensdag een aanbieding te sturen, waarbij je korting krijgt op een Unox-worst als je een pak AH-boerenkool aanschaft.

Dat is ook de gedachte achter de Air Miles-kaart. Bijna de helft van de Nederlandse huishoudens heeft er een. Bedrijven als Shell, Praxis, Gall & Gall, Dixons en V&D delen hiermee informatie over het koopgedrag van hun klanten. Ze noemen dit *coalition database marketing*. Negentig procent van de Nederlandse huishoudens bezit minstens één klanten- of loyaliteitskaart. De bonuskaart is de meest gebruikte. Soms heb je niet echt door dat je een 'loyaliteitskaart' gebruikt die ook voor marketingdoeleinden wordt ingezet, zoals de ov-chipkaart of sommige stadionpassen. De meeste data laten we echter online achter, zonder dat daar pasjes of betaalmiddelen aan te pas komen.

Digitale Anja

Stel je loopt de supermarkt in en bij de karretjes staat medewerkster Anja je al op te wachten met een dossier in haar handen. 'Goedemiddag, meneer Tokmetzis. Goed u weer te zien,' zegt ze. Terwijl je een euro in het karretje stopt, pakt Anja jouw dossier erbij. Samen lopen jullie de winkel in. Anja noteert waar je naar kijkt, welke producten in je karretje belanden. Als je het schap met pindakaas negeert, tikt Anja je op de schouder. 'Het is alweer twee maanden geleden dat u voor het laatst pindakaas kocht. Misschien wilt u een nieuw potje?

Probeer anders eens Calvé. Voor u kunnen we wel een leuk prijsje maken.' Terwijl je verder loopt, noteert Anja weer waar je naar kijkt, welke weg je in de winkel aflegt. Welke producten je uit je karretje haalt en terugzet in het schap. Het eindbedrag wordt natuurlijk opgeschreven. Zodra je de winkel verlaat en de rest van de boodschappen gaat halen, blijft Anja achter je aanlopen. Als je bij de slager verse bacon bestelt, tikt ze je weer op de schouder. 'Meneer Tokmetzis, ik zag u daarnet kijken bij de pannenkoekenmix en die legde u terug. Wat als we u korting geven? Koopt u die mix dan in de supermarkt?' In het echte leven zouden we hier bloednerveus van worden. Online gebeurt dit continu.

Cookies zijn kleine bestandjes die een site op jouw harde schijf plaatst, zodat je herkend kan worden. Dat is niet alleen handig, maar ook noodzakelijk als je online wilt winkelen. De site onthoudt wat je in je winkelwagentje hebt gezet. Ook hoef je bij sites die je vaak bezoekt, niet telkens een wachtwoord in te voeren. Maar niet alleen site-eigenaren plaatsen cookies. Ze geven vaak ook toestemming dat derden dat doen, de zogenoemde *third parties*, doorgaans adverteerders. Alle grote zoekmachines hebben in 2008 advertentiebedrijven aangekocht, waarvan de deal tussen Google en DoubleClick de meeste publiciteit kreeg. Bedrijven als DoubleClick, ValueClick en Adbrite volgen het surfgedrag van tientallen miljoenen gebruikers over vaak enkele tienduizenden websites. Gecombineerd met zoekgegevens bouwen ze een indringend beeld op van de invididuele surfer, of tenminste, degene die schuil gaat achter een IP-adres. Die gegevens bewaren ze in dossiers en verkopen ze door. Die data-aggregatie gaat ver. Het mediabedrijf 24/7 Real Media experimenteert bijvoorbeeld met het koppelen van IP-adressen aan openbare bronnen, zoals het Kadaster, of statistische en demografische databanken. De cookies die deze internetreuzen achterlaten, kun je zien als een digitale Anja die continu over je schouder meekijkt. Je kunt digitale Anja echter vaak niet zeggen dat ze moet ophoepelen.

Op het moment dat ik dit schrijf, staan er meer dan vijfhonderd cookies op mijn computer, terwijl ik een aantal blokkeerprogramma's gebruik. Die vijfhonderd cookies vallen nog mee. *The Wall Street Journal* onderzocht eind 2010 een aantal populaire sites. MSN.com (o.a. chatten en hotmail) laat zo'n 207 cookies achter. Yahoo.com 106. CNN 72. Filmsite IMDB 55. Fotosite Flickr 34. Twitter 17. Youtube 14. En oh ja, *The Wall Street Journal* plaatst 25 cookies op je computer. De meeste cookies zijn tamelijk functioneel, bedoeld om de interactie te verbeteren. Maar *The Wall Street Journal* ontdekte ook een paar zeer agressieve afluisterbestandjes. Sommige cookies hielden bijvoorbeeld bij waar je muisaanwijzer zich bevond op het scherm. Andere cookies konden zien wie er achter een gedeelde computer zat, bijvoorbeeld de vader of moeder van een gezin. De meest frappante ontdekking was wel die van de *zombiecookies*. Als je die verwijderde, kwamen ze later spontaan weer tot leven.

In theorie kun je wel iets tegen de cookies doen. Ik gebruik bijvoorbeeld Mozilla Firefox-browser. Die heeft als voordeel dat je allerlei gratis programmaatjes kunt installeren, waaronder eentje dat cookies blokkeert, zoals Taco. Op dit moment blokkeer ik circa 120 advertentieplatforms, maar de grote laat ik toch toe. Het vervelende is namelijk dat ik weliswaar een mogelijkheid heb om cookies te weigeren, maar dat veel sites mij dan ook geen content leveren. Filmpjes van *The Daily Show* van Jon Stewart laden niet als je de adverteerder blokkeert. Wil je iets zien, dan zul je ervoor moeten betalen door jezelf prijs te geven. Zowel in de Verenigde Staten als in

Europa worden adverteerders verplicht om klanten een echte keus te geven of ze cookies willen accepteren of niet. In Amerika gebeurt dit vooralsnog op basis van vrijwilligheid en dat werkt dus niet. In Europa zit er een verplichting aan te komen, omdat zelfregulering niet de gewenste resultaten oplevert. Maar het is een hard gevecht, dat nog onbeslist is.

Verleiding

Veel bedrijven hebben echter een andere manier gevonden om aan informatie te komen, die vaak nog veel effectiever blijkt: verleiding.

In 2004 lanceerde Google een aantal nieuwe webdiensten. Gmail, Google Earth, Google Docs. En Google blijft diensten ontwikkelen. Een browser (Chrome), een videokanaal (YouTube), online boeken, kaarten met bewerkmogelijkheid, een blogprogramma, een redelijk open besturingssysteem voor smartphones (Android) en sinds kort het social media-platform Google Plus. En dat allemaal gratis! Waarom doet Google dit? Het bedrijf moet toch iedere maand zijn tienduizenden werknemers betalen? Hoe worden de rekeningen betaald? Simpel. Die betaal je met jouw persoonsgegevens. Al deze applicaties zijn ontwikkeld met één belangrijk doel in het achterhoofd: je verleiden om data te delen. Wie deze applicaties wil gebruiken, moet zich aanmelden. Zo kan Google een profiel opbouwen. Het gebruik van al deze diensten, verraadt een hoop over je. E-mails worden gescand, evenals welke newsfeeds je in je reader hebt, welke links je vrienden aanraadt, wat je via Google Shop koopt, welke spreadsheets je vaak gebruikt.

Google is niet bepaald de enige wiens bedrijfsmodel op persoonsgegevens van de gebruikers rust. Sociale netwerksites bieden hun diensten gratis aan en verkopen in ruil daarvoor hun kennis over de gebruikers. Wie op Hyves of Facebook actief is, kan erop rekenen dat zijn profiel ook bekend is bij vele adverteerders. Het Amerikaanse Facebook heeft het geregeld aan de stok met zijn gebruikers en de privacytoezichthouders. Facebook heeft er baat bij dat de gebruikers zo veel mogelijk delen en zet de privacysettings standaard daarom zo open mogelijk. Die gegevens zijn dan ook flink wat waard. Schattingen lopen uiteen van 50 tot 75 miljard dollar. Dat geld zit nauwelijks in hardware of gebouwen. Al het geklets en gedeel van de 750 miljoen Facebookers en de kennis die adverteerders daaruit kunnen halen, is meer waard dan menig bruto nationaal product.

Een redelijk recente verleidingstaktiek is die van de kortingsbonnen. Vooral in de Verenigde Staten zijn kortingsbonnen populair, bijvoorbeeld van Groupon. Online kortingsboeren kunnen uitgebreide dossiers aanleggen van consumenten. Dit blijkt een goudmijn met enorme potentie. De barcode van een kortingsbon ontsluit vaak veel meer informatie dan de korting zelf. In de Verenigde Staten zijn er bonnen waarmee winkeliers een heel klantprofiel kunnen opvragen, inclusief een ruw psychologisch profiel. Daarmee kunnen ze inschatten waar een klant gevoelig voor zal zijn: is hij een impulsaankoper bij wie je vooral moet benadrukken hoe hip en nieuw je product is, of is het een voorzichtige consument voor wie degelijkheid en garantie belangrijke overwegingen zijn. Een winkelier kan met deze informatievoorsprong zijn positie versterken.

Slimme koelkast

De kortingsbonnen zijn een goed voorbeeld van hoe de echte en de digitale wereld in elkaar schuiven. Er worden nieuwe netwerken opgezet om klanten in beeld te krijgen. Daarbij worden bedrijven ook geholpen door de opkomst van RFID-technologie. Deze chips zitten in steeds meer producten en kunnen informatie vrijgeven over hoe de producten worden gebruikt. Een veelgenoemde toepassing is de slimme koelkast. De koelkast leest de chips uit van de producten erin en kan vervolgens bepalen wanneer de melk zuur wordt of het bier opraakt en dat de eieren vermoedelijk over drie dagen op zijn (gebaseerd op het geconstateerde gemiddelde eierverbruik van het gezin). In technofiele praatjes wordt dan voorgesteld dat de koelkast zelf melk, bier en eieren bestelt bij de Albert Heijn. Die krijgt dan vervolgens inzicht in het gebruik van de producten en kan dus ook een gebruikersprofiel opbouwen, met alle marketingvoordelen van dien.

Bedrijven weten ook steeds beter waar je je op ieder moment bevindt en wat je op dat moment doet. Producenten van navigatieapparatuur bouwen daarom ook advertentieplatforms of verkopen hun data door. Smartphones zijn tegenwoordig standaard uitgerust met een gps. Die gps-data worden door veel applicaties uitgelezen. Heel handig. Dan kan McDonald's bijvoorbeeld een aanbieding sms'en voor een Big Mac zodra je in de buurt van een McDrive rijdt. Veel smartphone-apps sturen continu data door over locatie, gebruik en soms zelfs door wie je gebeld wordt en hoe lang. Eind 2011 ontstond een kleine rel toen bleek dat CarrierIQ, een bedrijf dat software levert voor enkele smartphones, alle activiteiten op de telefoons kon registreren en uitlezen met behulp van verborgen software.

Een andere toepassing, waar veel van wordt verwacht, is wat men *augmented reality* noemt. De realiteit wordt aangevuld met een extra informatielaag. Met smartphones kun je toevallig ook nog bellen, maar ze zijn vooral een verzameling van heel veel andere technologieën, zoals gps- en camera-technologie. Daarmee is het heel goed mogelijk om de (publieke) ruimte om je heen in kaart te brengen en aan te vullen met extra informatie. Wie bijvoorbeeld zijn cameratelefoon richt op een huis dat te koop staat, ziet op het scherm van de smartphone hoeveel het kost, foto's van het interieur en wie de makelaar is. Je kunt ook nog even een foto maken en de informatie via twitter naar een vriend sturen.

En dat werkt niet alleen bij fysieke objecten. Sommige bedrijven gaan nog een stap verder met biometrie en in het bijzonder gezichtswaarneming. Facebook gebruikt gezichtswaarneming om mensen op foto's te herkennen. Dat kan handig zijn voor adverteerders. Winkeliers kunnen de gezichten scannen en zien wat voor klanten er binnen komen lopen, of en wat ze eerder hebben gekocht. In Japan staat een aantal reclameborden die uitgerust zijn met een camera. Die scant de gezichten van voorbijgangers en is op zoek naar leeftijd, geslacht en emotionele signalen. De boodschap op het bord wordt aangepast aan de persoon die langs loopt. Is het een jong iemand, dan toont het bijvoorbeeld een nieuw mobieltje. Is het een man, dan ziet hij ineens een aanbieding voor aftershave. En loopt iemand te somberen, dan verschijnt er plots een mooi beeld van een vliegvakantie naar het strand.

Bedrijven gebruiken deze data niet alleen voor advertentiedoeleinden op *dit moment*, maar kijken uitdrukkelijk ook naar de toekomst met behulp van profilering.

Commerciële hokjesgeest

Creditcardmaatschappijen noteren niet alleen wie hoeveel aan wie betaalt, maar ook wat er wordt gekocht, wanneer, waar en wat iemand nog meer koopt. Een beetje creditcardmaatschappij heeft gedragspsychologen en statistici in dienst die al die transactiegegevens doorpluizen op zoek naar relevante patronen. In de eerste plaats doen ze dat voor zichzelf. De concurrentie is groot, de marges zijn klein. Te veel wanbetalers in het klantenbestand betekent verlies. Door het betaalgedrag te analyseren kunnen ze een risicoprofiel maken van iedere klant.

In ruwe vorm werkt het zo. Iemand die vaak kinderkleren en babyvoeding koopt en maandelijks aan de kerk doneert, zal waarschijnlijk een goede betaalmoraal hebben. Uit onderzoek – van een Canadese creditcardmaatschappij – blijkt dat mensen met kinderen vaak financieel meer verantwoord leven. Wellicht is het verstandig minder krediet aan te bieden of een hogere rente vragen aan een klant die zijn creditcard voornamelijk bij Gall & Gall en buurtkroeg Ons Honk gebruikt en continu tegen zijn bestedingslimiet aan zit. Het blijft kansberekening, maar de creditcardmaatschappijen worden er steeds beter in.

Dit klantinzicht is zo waardevol dat Mastercard er lucratieve producten omheen bouwt. Mastercard giet er andere data van buitenaf bij en gebruikt maar liefst vierduizend soorten klantgegevens om het koopgedrag van klanten in modellen te vatten. Andere bedrijven gebruiken die om op hun eigen klantenbestand los te laten. Het resultaat, aldus Mastercard? 'Snelle identificatie en doorgronding van je kaarthouders, zodat je ze kunt segmenteren en je boodschap daarop kunt afstemmen. Je kunt de levensstijl en prioriteiten van je klanten doorgronden en je product of service daarop afstemmen. De klant krijgt wat hij wil en nodig heeft, en jij verdient de investeringen in marketing maximaal terug.'

Dat segmenteren is populair. Ook al zouden bedrijven iedereen persoonlijk kunnen behandelen, dan nog is dat vaak niet aantrekkelijk, want dat is bewerkelijk. En het hoeft ook niet altijd. We voelen ons weliswaar uniek, maar stiekem lijken we wel op een aantal anderen. Veel bedrijven hebben dat al jaren door. Daarom proberen bedrijven hun klanten in groepen onder te brengen, bestaande, of door hen verzonnen.

Vrije geest

Kampioen consumenten classificeren is het al eerder genoemde Experian. Ben je een vrije geest? Of eerder een ontwikkelde stedeling? Een knokker, dynamische familie, modale burger, succesvol gezin? Of toch eerder een traditionalist of een pensioengenieter? Deze categorieën komen uit het programma Mosaic. Wederom van de website van Experian:

> *Mosaic is de belangrijkste consumentenclassificatie ter wereld. Het is beschikbaar in 26 landen, classificeert meer dan een miljard consumenten en wordt door meer dan 10.000 organisaties ter wereld gebruikt. Mosaic classificeert alle huishoudens in Nederland in 10 groepen, 44 typen en 171 subtypen. De Mosaic-classificatie is beschikbaar op huishoudniveau (Mosaic Huishouden) en op 6-posities-postcodeniveau (Mosaic Postcode). Mosaic wordt in de commerciële sector gebruikt om kennis te verwerven over klantengedrag, marketing en communicatie te optimaliseren en het potentieel aan producten en diensten te bepalen. In de publieke sector wordt Mosaic gebruikt om beleidsvorming bij landelijke, regionale en locale overheden te bepalen en om gebruik van hulpmiddelen bij gezondheidszorg, onderwijs en veiligheid met betrekking tot de gemeenschap te optimaliseren.*

Experian heeft nog veel meer programma's. iMarketer biedt inzicht in beslisstijlen en gedrag van klanten. Micromarketer Generation3 is een 'compleet geografisch analyse- en informatiesysteem waarmee u klantgegevens en verzorgingsgebieden kunt analyseren en visualiseren in kaarten tot op adres niveau'. Mosaic Finergy is een consumentenclassificatie op basis van financieel gedrag en productbezit van alle Nederlandse huishoudens. 'Deze segmentatie is gebaseerd op dataregistratie en financieel marktonderzoek. Mosaic Finergy is uniek waar het gaat om het vermogen het financiële gedrag van alle Nederlandse huishoudens te onderscheiden en te beschrijven.' Mosaic Origins classificeert personen naar het deel van de wereld waar hun voorouders hoogstwaarschijnlijk vandaan zijn gekomen. Mosaic TrueTouch is een 'segmentatie van alle Nederlandse huishoudens op basis van kanaalvoorkeuren en de manier waarop de consument beslissingen neemt. Per huishouden wordt er een beeld geschetst met betrekking tot het mediagebruik, motivaties en het openstaan voor promoties.'

Risico's opsporen

Met deze categorieën of profielen willen bedrijven risico's vroegtijdig opsporen. Experian heeft daarvoor bijvoorbeeld Easy Check ontwikkeld.

> *Easy Check wordt gebruikt door ondernemingen die met minimale gegevens hun potentiële klanten willen checken. Met Easy Check verifieert u online adresgegevens van consumenten, verhuizingen, telefoonaansluitingen, onroerend goed, negatieve betalingservaringen, gerechtelijke aankondigingen en eerdere toetsingen op hetzelfde adres.*

Het product is opgebouwd uit 15 modules waaruit u een keuze kunt maken. Easy Check kan ook worden geïntegreerd in uw (online) bestelproces.

Risicovolle klanten houdt men liever buiten de deur.

Het gaat niet alleen om het inzichtelijk maken van risico's, maar ook van verkoopkansen. En dan wordt niet alleen naar financiële draagkracht gekeken, maar ook naar de psyche van de klant. Robeco Direct maakt van al zijn klanten bijvoorbeeld een 'psychografisch model'. Hierin wordt beschreven of ze extraverte avonturiers zijn of voorzichtige introverte postzegelverzamelaars. De verkopers stemmen hun 'tone of voice' daarop af.

Het callcenter SNT gebruikt dit soort modellen in zijn verkooppraktijken. 'We kunnen ons zodoende van tevoren goed inlezen op de klant en vervolgens een gerichte aanbieding doen. We laten ze bellen door een callcenteragent die de taal van die doelgroep het beste spreekt en verstaat, en dat op de geschiktste dag en het meeste ideale tijdstip. We kunnen – zelfs terwijl we aan het bellen zijn – "tunen" en onze strategie bijstellen,' zegt directeur Oppelaar in een interview met het huisblad van Experian. 'En dan kan het haast niet meer misgaan. Je weet immers heel veel, al bijna alles, van die klant. Bijvoorbeeld dat ze binnen drie jaar gaan verhuizen, of rijp zijn voor een nieuw abonnement of een verlenging. In die gevallen kun je zelfs stellen dat ze zitten te wachten op ons telefoontje.'

Klanten worden dus in toenemende mate gekend en verschillend behandeld. Er is daaromheen een nieuwe bedrijfstak ontstaan, Customer Relationship Management (CRM). Tenminste, de naam is nieuw. In Nederland gaat daar al meer dan 500 miljoen euro per jaar in om. Wil Wurtz is directeur van de brancheorganisatie CRM Association en oprichter van Metrics & More. Hij zegt dat bedrijven dankzij CRM kunnen bepalen hoeveel moeite ze in een mogelijke klant moeten steken.

Met meetinstrumenten breng je in kaart of je klanten tevreden zijn en wat hun waarde is. In de financiële wereld en in de telecom werkt men met hardere informatie en is die waarde makkelijk vast te stellen. Daarbuiten is het lastiger, maar ook daar zijn wetmatigheden te ontdekken. In een zakelijke omgeving levert pakweg tien procent van je klanten 90 procent van je omzet. In een consumentenomgeving zie je eerder de verhouding 30/70 of 40/60. Dat is een keiharde regel.

Profiteurs

Wurtz deelt klantenbestanden in vier groepen in, handig 'de vier p's' genoemd. De partners leveren veel op en zijn tevreden over de dienstverlening. Daar moet je als bedrijf moeite voor doen. Er zijn ook klanten die heel tevreden zijn, maar waar een bedrijf niets aan verdient. Dat zijn de profiteurs. Die moet je kwijt zien te raken. De potentiële weglopers leveren veel op, maar zijn niet tevreden. Daar moet je extra in investeren. Tot slot zijn er passanten, vaak nieuwe klanten die weinig toegevoegde waarde hebben. Marketeers zeggen het niet hardop en on the record, maar is eenmaal de waarde vastgesteld, dan gaat het erom 'het pijnpunt van de klant te vinden'. Hoeveel kun je vragen voor een dienst of product zodat je optimaal verdient, maar de klant wel blijft terugkomen?

Het gaat daarbij niet alleen om de waarde die de klant nu vertegenwoordigt, maar ook om de waarde die hij nog kan gaan betekenen. Ik herinner me nog goed het gehengel van alle banken tijdens de introductieperiode van de universiteit. Tijdens de studie leveren al die studenten niet gek veel op: veel rood staan, veel schulden. Maar daarna, als ze eenmaal gaan werken, worden ze interessant. En inderdaad, ik zit nog steeds bij dezelfde bank, die me zo lang vast wist te houden door mij onder het kopje Young Professional hele gunstige voorwaarden te bieden. Wel vreemd. Ik als jonge starter, die zeven jaar over zijn studie had gedaan en nog niets wezenslijks gepresteerd had, kon goedkoper lenen dan mijn buurman die al veertig jaar had gewerkt. Slimme bedrijven rekenen door wat je nu kost en straks oplevert.

Sorteermachine

Ik vergelijk het informatieproces van bedrijven vaak met een sorteermachine. Een enorme bak met klanten wordt in een zeef gekieperd. Vervolgens wordt met behulp van verschillende filters op basis van de beschikbare informatie een schifting gemaakt. Na verschillende kijkmomenten vallen al die klanten uiteindelijk in een bakje, een categorie. De goede sorteermachines hebben een *feedback loop*. Als de informatie van of over een klant verandert, houden de filters daar rekening mee. Klanten worden dan steeds door het systeem gepompt. Sommige klanten komen in het bakje 'oninteressant' terecht. Ze leveren het bedrijf niets op. Anderen komen juist terecht in het bakje 'zorg goed voor deze klant', er is nu of straks veel geld aan hen te verdienen. Bedrijven nemen hun beslissingen op basis van wat en wie er in de bakjes terechtkomen en kijken na verloop van tijd vaak niet hoe het sorteerproces verloopt. Dit levert een aantal problemen op waar ik zo dadelijk over kom te spreken.

Ik heb in dit hoofdstuk een indringend beeld geschetst over wat sommige bedrijven allemaal over ons weten. Dat is veel. Ook is het confronterend om te zien hoe we verleid worden onze persoonsgegevens af te dragen. Blijkbaar worden we aan alle kanten gemanipuleerd en gestuurd. Vaak hebben we dat niet door. Is dat erg? Ja en nee. Eerst waarom dat niet erg is.

Uitruil

We moeten niet vergeten dat er sprake is van een simpele uitruil. Onze persoonsgegevens in ruil voor gratis of goedkopere diensten. Je denkt er niet meer bij na, maar is het niet verbazingwekkend dat zoveel sites, diensten en content op internet gratis zijn? Je kunt honderden foto's kwijt op Flickr en het kost je niets. Je mag je e-mailbak van Hotmail tot de nok vullen op kosten van Microsoft. Je kunt twee gigabyte aan bestanden via Dropbox met anderen delen. Voor niets. Wil je een spreadsheet maken of een boek schrijven? Doe het met Google Docs en de prijs is nul euro. De beste kranten en tijdschriften ter wereld zetten hun verhalen online. In ruil daarvoor willen ze graag weten wie je bent, zodat ze geld verdienen met hun advertenties. Lijkt mij best een goede deal.

Daarnaast kan ik persoonlijker en flexibeler behandeld worden. Als een bedrijf weet wie ik ben en wat ik wil, kan het mij een hoop onzin besparen. Facebook hoeft niet iedereen in mijn time-line te laten zien, alleen de mensen met wie ik veel omga. Als ik online films bestel, wil ik graag aanbevelingen voor arthousefilms en niet voor films met Jean Claude van Damme. En als ik dan toch reclame voor mijn kiezen krijg, doe dan maar reclame voor producten die nog enigszins nuttig voor mij zijn. Ook is het handig als ik online al mijn zaken, verhuizingen en andere wijzigingen kan regelen. Op welk moment van de dag dan ook.

Beslissingen die op data zijn gebaseerd, kunnen ook veel eerlijker zijn. Als de bank mij afwijst voor een lening, is het niet omdat de bankemployé een probleem heeft met mijn kleren, huidskleur of accent, maar omdat data over mijn inkomen en betaalverleden blijkbaar een rode vlag opwerpen. Beslissingen op basis van data kunnen objectiever zijn.

Stokmetzis

Maar dan moet de informatie wel kloppen. De voorbeelden van foutieve informatie liggen voor het oprapen. Iedereen doorstaat geregeld vreselijke muzak in de wacht van een callcenter om fouten bij bedrijven te herstellen. Sommige zijn relatief onschuldig zoals een verkeerd adres. Een mevrouw die een meneer moet zijn. Tokmetziz, Dokmetzis, Tok met zis, Stokmetzis, Tokelemetzis, Tokmedsis, Dokmetsis, Tokmet en zelfs Amsterdam, terwijl het Tokmetzis moet zijn. De verouderde informatie op adresniveau in de databanken van Experian. Je kunt nog zo veel slimme bewerkingen uitvoeren op data, maar als de basis niet goed is, klopt ook het eindproduct niet. Dan wordt een beslissing genomen op basis van foute informatie.

Het kan ook zijn dat bedrijven soms wel erg makkelijk vergaande conclusies trekken. Dit voorbeeld gaf het College Bescherming Persoonsgegevens. Zij hadden een klacht gekregen van een man die bij een handelsinformatiebureau als wanbetaler bekend stond. Dat was hij niet. Er waren ooit vermoedens van wanbetaling en er was een onderzoek uitgevoerd, maar dat leverde niets op. Maar het feit dát er een onderzoek naar hem was uitgevoerd, was voor het handelsinformatiebureau reden om dit als 'negatieve betalingservaring' in hun database op te nemen. CBP-onderzoeker Jan-Willem Heuver vond nog meer van zulke vreemde kronkels.

Ook als de schuldeiser later erkent dat een vordering onterecht was, betekent dit nog niet automatisch dat dit door de schuldeiser of door het incassobureau wordt doorgegeven aan het handelsinformatiebureau. Daarnaast wordt het feit dat iemand een paar keer in een korte tijdspanne een abonnement voor een mobiele telefoon heeft aangevraagd soms al gezien als een indicatie voor slecht betalingsgedrag. Blijkbaar is er een statistisch verband tussen het vaak aanvragen van een abonnement en wanbetaling, maar toch kunnen ook veel bonafide klanten op deze wijze een minder fraai 'profiel' krijgen.

Volgens Wil Wurtz van de CRM Association zijn betrouwbaarheid en kwaliteit van de gegevens en wiskundige modellen de achilleshiel van het profileren. 'Je kunt nog zo'n goede analyse doen, maar als de informatie niet klopt, heb je er niets aan. Er is wetgeving over financiële verslaglegging van je bedrijf. Maar er is geen wetgeving die zegt dat als je gegevens vasthoudt van klanten, dat die gegevens kloppend moeten zijn. Op basis van verkeerde informatie worden vaak verkeerde beslissingen genomen. Dat is echt een ondergeschoven kind in het denken van bedrijven.'

Volgens Wurtz mogen bedrijven wel wat meer zelftwijfel tonen.

We zijn continu bezig conclusies te trekken op basis van allemaal oordelen en vooroordelen. Bedrijven doen dat steeds meer in relatie tot hun klanten. Maar waar is het

harde bewijs? Is het statistisch verband wel sterk genoeg? Op basis waarvan baseer je je oordeel? Hoe terecht is de conclusie die ik eraan verbind? Vaak maakt men gebruik van impliciete conclusies. Als een bedrijf kan aantonen dat op basis van een profiel er een hele grote kans is dat iemand te veel gaat kosten, vraagt het daarom bijvoorbeeld een hogere premie. Als er geen speld tussen te krijgen is, dan heb je daar weinig verweer tegen. Stap één is om dat met elkaar helder te hebben en dan staan we nog maar aan het begin om dat bewijsbaar en transparant te maken.

Er is nog een lange weg in te gaan. Bedrijven zijn bijvoorbeeld wettelijk verplicht op verzoek van een klant alle bij het bedrijf bekende persoonsgegevens te kunnen overleggen. Dat moet binnen een redelijke termijn. Onderzoeker Jaap-Henk Hoepman (Radboud Universiteit) deed met zijn studenten een proef. Ze schreven telecombedrijven, verzekeraars, webwinkels en supermarkten aan om hun gegevens op te vragen. Zeventig procent van de aangeschreven bedrijven reageerde niet eens. Uiteindelijk zijn er maar twee bedrijven – bol.com en de Gemeentelijke Basis Administratie – die correct reageren en een overzicht gaven.

Wiskundige molen

Dit is echter nog makkelijke informatie. Zoals we hebben gezien, gebeurt er nog veel meer met die data: er worden profielen gemaakt en ze worden gebruikt bij het nemen van beslissingen. De meeste banken halen bij iedere aanvraag voor een lening, creditcard en hypotheek de gegevens door een wiskundige molen. Wie wil weten waarom zijn creditcard is afgewezen, krijgt waarschijnlijk een antwoord in de trant van 'uw score is te laag', of 'de computer zegt het'. Maar wat er precies aan de afwijzing ten grondslag ligt, is niet duidelijk. Verdien je echt te weinig? Of is de informatie fout? Is de berekening van het risico wel goed uitgevoerd? Of zijn andere variabelen meegewogen die voor jou onbekend blijven? Word je soms afgewezen omdat je in een slechte buurt woont? Die voorvallen zijn namelijk bekend. Die voeden het wantrouwen jegens deze instellingen. En als een bedrijf al openheid van zaken wil geven, dan kan dat soms gewoon niet. Een bank verdient zijn geld met het juist inschatten van risico's. Een bank zal dus niet geneigd zijn het algoritme vrij te geven op basis waarvan hij risico's bepaalt. Als je dat algoritme al zou begrijpen. Dat maakt verzet tegen een beslissing erg moeilijk: het is een ongelijke strijd van een klant tegen een rijtje wiskundige tekens.

Een ander gevolg van al dat profileren speelt zich af op maatschappelijk niveau. Wat betekent het om mensen onder te brengen in groepen en ze verschillend te behandelen? Af en toe zien we dat mensen op basis van profiel- of categoriekenmerken worden behandeld. Wie bijvoorbeeld op postcode 3035 AM (het Oude Noorden, Rotterdam) woont, zal de afgelopen jaren aanmerkelijk meer moeite hebben gehad een hypotheek te krijgen dan iemand die op postcode 3581 BB (Maliesingel, Utrecht) leeft. Geregeld blijkt dat zogenoemde Vogelaarwijken – ik blijf toch liever spreken van achterbuurten – slechter bediend worden door bedrijven op basis van het profiel van die wijk. Wordt het dan niet moeilijker gemaakt – of misschien wel steeds moeilijker – voor een achterbuurt om zichzelf aan de haren uit het moeras te trekken?

Soms denk ik wel eens dat al dit meten, registreren en profileren te eerlijk is. Zijn het altijd dezelfde groepen en mensen die buiten de omhelzing van bedrijven vallen? Als we de financiële sector bezien, is het duidelijk dat een aantal aanbieders, zonder al te veel scrupules de zogenoemde 'downmarket' bedienen. Ik noem de inmiddels omgevallen bank DSB met zijn 'goedkope kredieten'. We weten ondertussen dat die klanten niet echt goed af waren.

Een gepersonaliseerde dienstverlening maakt ook extreme prijsdifferentiatie mogelijk, dus dat je mensen verschillende prijzen rekent voor hetzelfde product. Dit fenomeen is zo oud als geld. Wie in New York woont, betaalt meer voor zijn pak ontbijtgranen dan iemand die in Buffalo woont. Ontbijtgranen nemen veel schapruimte in beslag en de grondprijs in New York is veel hoger dan in Buffalo. Dus rekent de super dat door. Experian heeft in Italië onderzoek gedaan naar '*risk based pricing and beyond*': 'Het gebruik van risk based pricing maakt het mogelijk om iedere individuele klant een scherp tarief te bieden aan de hand van een persoonlijk risicoprofiel.' Het wordt ook wel Customer Value Management (CVM) genoemd. Op dit moment wordt dit soort modellen nog vooral in de financiële sector toegepast, maar ook de retailsector – de warenhuizen, winkels, etc. – begint de waarde van prijsdifferentiatie te zien.

Sorry, je komt er niet meer in

In de personal information economy dreigt de machtsverhouding te verschuiven van consumenten naar bedrijven. Bedrijven wentelen hun risico's af op individuele klanten. Sorry, je komt er niet meer in. Probeer het maar bij een concurrent. Als die er tenminste is en niet hetzelfde beleid voert. Bedrijven hebben hun mond vol over transparantie, maar echte transparantie ontbreekt vaak. Daar zit niet per se kwade wil achter. Maar bij bedrijven komt het uiteindelijk allemaal neer op één ding: winst. Sociaal verantwoord ondernemen is toch een beetje een luxe, hoe nobel en gemeend managers dit concept omarmen. Maar veel individuele probleemgevallen vormen tezamen wel een maatschappelijk probleem. Gek genoeg is er nog nauwelijks serieus onderzoek gedaan naar de sociale en economische effecten van gepersonaliseerde dienstverlening – of het gebrek aan dienstverlening.

Uit dit hoofdstuk blijkt dat bedrijven wel degelijk met een sorterende blik naar mensen kijken: ze delen hun (potentiële) klanten in in segmenten, populaties, kansen en verlies. Daar moeten mensen of groepen de dupe van worden, dat kan niet anders. Ik vermoed dat de digitale schaduw steeds bepalender zal zijn voor het onderscheid tussen de *have's* en *have not's*, of misschien beter gezegd, tussen de *interesting* en *not interesting*. Voor beide groepen kan de sortering wel eens vervelend uitpakken. Want juist als je interessant bent – lees: over flink wat geld beschikt – dan word je belaagd alsof je stroop aan je kont hebt. Ben je niet interessant, dan ben je steeds vaker aangewezen op bedrijven die de 'downmarket' bedienen. Dat betekent dat je relatief duur uit bent, vaak tegen slechtere voorwaarden. Tot welke groep je behoort, hangt dus af van je inkomen, maar ook van waar je woont, waar je vandaan komt en bovenal, of je digitale schaduw correct is.

Bedrijven priemen hun blik niet alleen op klanten, maar ook steeds meer op hun personeel. Om het meeste uit alle werknemers te halen, wordt iedereen gemonitord. En in toenemende mate geprofileerd. Werkgevers zijn op zoek naar fraude en onderprestatie: die gaan immers ten koste van de winst. Bij te veel stress, gaat het alarm af – ook stress kost geld. Het volgende hoofdstuk gaat over wantrouwen en hulpvaardigheid op de werkvloer.

waarschuwingen. In zijn persoonlijk ontwikkelingsplan heeft Jansen nog niet benoemd wat zijn dromen, wensen en verwachtingen zijn voor de komende vijf, tien en twintig jaar. Het is niet genoeg dat ik mijn lichaam geef om te werken, moppert Jansen, ze willen ook nog in mijn hoofd kijken.

Vlak nadat Jansen koffie van zijn bureau, broek en dossiers heeft gedept, tikt zijn manager hem op de schouder. Of Jansen even met de *stresscounciler* wil praten. Om af te koelen. De sensoren rond Jansens bureau pakten verontrustende signalen op. Snelle hartslag. Verhoogde lichaamstemperatuur. Oppervlakkige ademhaling. Gespannen gezichtsuitdrukking. Geagiteerd geschuifel op de bureaustoel. De computer hield die informatie tegen het psychologische profiel van Jansen en besloot een waarschuwing te sturen naar de manager: HET GAAT NIET GOED MET JANSEN, INGRIJPEN GEWENST.

Klinkt als toekomstmuziek? Weinigen weten dat Microsoft dit monitoringsysteem al heeft ontwikkeld. Voor zover bekend bestaat het alleen nog als patent. Een woordvoerder sluit niet uit dat Microsoft het in productie neemt.

Dit systeem lijkt een vergaande vorm van toezicht te zijn, maar is geen uitzondering. In het programma *Small Blue* kijkt IBM naar al het chat- en e-mailverkeer van zijn consultants. *Keyloggers*, sinds kort ook in Nederland te koop, brengen precies in kaart wat het personeel achter zijn computer doet. Bedrijfswagens worden standaard uitgerust met gps en steeds vaker kan de baas *live* controleren of de auto bij de klant staat en niet bij de McDrive. Telefoongesprekken worden opgenomen. Camera's registreren. Bedrijfsrechercheurs spioneren.

Bazen willen graag controleren en worden in toenemende mate geholpen door techniek en in het bijzonder ICT-toepassingen. Maar waarom willen ze zo graag toezicht houden?

10

De gelukkige werknemer

First. They develop a science for each element of a man's work, which replaces the old rule-of-thumb method.
Second. They scientifically select and then train, teach and develop the workman, whereas in the past he chose his own work and trained himself as best he could.
Third. They heartily cooperate with the men so as to insure all of the work being done in accordance with the principles of the science which has been developed.
Fourth. There is an almost equal division of the work and the responsibility between the management and the workmen. The management take over all work for which they are better fitted than the workmen, while in the past almost all of the work and the greater part of the responsibility were thrown upon the men.

De vier principles van Taylors scientific management

Stresstest

Meneer Jansen van Crediteuren is vandaag moe en gespannen. Mevrouw Jansen is ziek. De kinderen jengelen tijdens het ontbijt, douchen en aankleden, en zijn niet in hun regenpakken te hijsen. Op kantoor probeert Jansen orde te scheppen in de stapel dossiers en de gele Post-it-vlek op zijn bureau. De jaarrekening nadert. Juist nu bestookt HR hem met

Hoe doen ze dat? Is dat altijd in het nadeel van de werknemer? En, belangrijker nog, is het effectief om altijd over de schouder van het personeel mee te kijken?

Eerst moet je natuurlijk een baan zien te krijgen. In veel delen van de Verenigde Staten is dat moeilijk. Miljoenen mensen verloren in 2008 en 2009 als gevolg van de kredietcrisis hun baan. Als er al banen te vergeven waren, werden de werkgevers bedolven onder de sollicitaties. Een vrij grove selectiemethode maakte in deze jaren zijn opgang: de betaalgeschiedenis van de sollicitant. In de Verenigde Staten is dit openbare informatie en zijn er veel *credit bureaus*, zoals Experian, die deze informatie hapklaar aanbieden. Wie een slecht betaalverleden had, werd niet uitgenodigd op gesprek. Begin 2010 bleek uit een onderzoek van de Society for Human Resource Management dat 13 procent van de ondervraagde werkgevers deze selectiemethode voor alle functies gebruikte en 47 procent gebruikte de methode voor wat meer gevoelige functies.

Het idee erachter is natuurlijk dat een sollicitant met een slecht betaalverleden onbetrouwbaar is. Bedrijven willen fraude en diefstal voorkomen. Uit geen enkel onderzoek blijkt dat er een verband is tussen persoonlijke financiële situatie en de kans op fraude. Megafraudeur Bernie Madoff had best een goede *credit score*. Het is een behoorlijk wrange manier van selecteren, omdat juist veel sollicitanten in de problemen zijn gekomen door de kredietcrisis. Daarnaast is in de VS de belangrijkste oorzaak van persoonlijk faillissement het niet kunnen betalen van doktersrekeningen. In sommige staten wordt geprobeerd om deze selectiemethode per wet te verbieden, maar de credit bureaus bieden verzet. Een woordvoerder zei hierover:

> *This restriction could jeopardize the health and safety of many Connecticut residents who have come to rely on safe and secure environments, and risks the financial status of businesses across the state.*

In Nederland wordt deze selectiemethoden nog niet aangeboden door de kredietbureaus. Wellicht is dat een kwestie van tijd. Sommige bureaus specialiseren zich in het zoeken van achtergrondinformatie van sollicitanten of het controleren van cv's.

Goed gedrag

In Nederland is voor veel banen wel steeds vaker een Verklaring Omtrent het Gedrag (VOG) nodig die aangeeft dat het gedrag van de sollicitant geen belemmering vormt voor het uitoefenen van de functie. In 2004 werden 200.000 VOG's aangevraagd, in 2010 waren dat er al 500.000. De praktijk raakt steeds meer omstreden. Begin 2010 toonde de Ombudsman van de VARA het verhaal van Maurice, een zeventienjarige jongen die werk zocht in de beveiling of het leger. Omdat hij op zijn veertiende een kerstboom in de brand had gestoken, kreeg hij geen VOG en daardoor ook geen baan. De uitzending maakte duidelijk dat veel jongeren deuren naar werk zien dichtslaan omdat ze vaak relatief kleine vergrijpen hebben begaan. Voor de arbeidsmarkt zijn deze jongeren een te groot risico om binnen te laten.

Wie wel in aanmerking komt voor een baan, zal zich ook moeten laten ontleden. Naast een sollicitatiegesprek is een *assessment* een vrij gangbare praktijk. Het is een conjunctuurgevoelige *business*, maar in goede tijden worden zo'n half miljoen assessments afgenomen. Ik heb zelf ook een aantal keren een assessment moeten doen en was niet vreselijk onder de indruk van de uitkomst. Ik werkte toen als verslaggever bij het *Utrechts Nieuwsblad* dat zou gaan fuseren met het *Algemeen Dagblad*. Iedereen moest op zijn eigen functie solliciteren. Nu is journalistiek een tamelijk rechttoe-rechtaanbezigheid. Of iemand goed is, lees je vaak wel terug in de krant. Volgens het assessment had ik een extreem extravert profiel, terwijl ik tamelijk introvert ben. Ik heb mijn eigen baan overigens behouden.

Het is een veelgehoorde klacht dat sollicitanten een persoonlijkheidsprofiel krijgen aangemeten dat ze niet hebben. De kwaliteit van de human-resources-bureaus fluctueert. Er bestaat geen onafhankelijke instelling die testen valideert. Dat kan wel op vrijwillige basis bij het COTAN, een vrijwilligersorganisatie waar wetenschappers allerlei testen onder de loep nemen. Een woordvoerder liet in 2010 aan het *NRC* weten dat het onderwijs en de gezondheidszorg vaak van de diensten gebruik maken, maar dat weinig assessment-bureaus hun werk laten valideren. Dat is wel gek. De testresultaten zijn immers van grote invloed op de werkkansen van de sollicitant.

Ook kijken werkgevers steeds meer naar de levensstijl van de sollicitant en de werknemer. Begin 2011 berichtte *The New York Times* dat steeds meer Amerikaanse bedrijven geen rokers meer aannemen. Die nemen te veel pauze en drijven de ziektekostenpremies omhoog. In Amerika is het ook heel normaal dat bij laaggeschoold werk een drugstest wordt afgenomen als onderdeel van de sollicitatieprocedure. Dit ook als fraudepreventie. Tijdschrift *De Ondernemer* meldde in 2010 dat het aantal drugs- en alcoholtesten op de werkvloer flink toenam, al kon het geen cijfers geven. Leveranciers zeiden in ieder geval goede zaken te doen. Ook recreatief drugsgebruik, dus in eigen tijd, is niet altijd toegestaan. Een politievrouw werd daarom in 2010 ontslagen. Een paar jaar eerder oordeelde de Hoge Raad dat het Hyatt-hotel in zijn recht stond toen het een werkneemster ontsloeg die tijdens het uitgaan cocaïne snoof.

Zwarte lijsten zijn ook een steeds populairder instrument om risicowerknemers buiten de deur te houden. De Stichting Fraude Aanpak Detailhandel maakt gebruik van een zwarte lijst van frauderend personeel, waarmee werkgevers hun sollicitanten kunnen screenen. Uit onderzoek van het College Bescherming Persoonsgegevens blijkt echter dat in meer dan 30 procent van de gevallen sprake was van een notering op de zwarte lijst bij diefstal ter waarde van hooguit twintig euro. Eén werknemer kwam op de zwarte lijst – en kan dus in veel winkels niet meer werken – omdat hij in het magazijn een blikje Red Bull had leeggedronken.

Ook ander gedrag van werknemers wordt steeds vaker gecontroleerd. Veel werkgevers houden personeel met camera's in de gaten. Dat mag alleen als de ondernemingsraad daarvan op de hoogte is gebracht en er sprake is van een vermoeden van fraude. Werkgevers blijken het echter niet altijd even nauw te nemen met de wet. De gemeente Spijkenisse kreeg eind 2007 een boete omdat ze verborgen camera's had laten plaatsen in een wijkcentrum om te zien of het personeel kasgeld verduisterde. In de loop van 2008 lag supermarktketen Lidl onder vuur. Werknemers werden continu gefilmd, zelfs op het toilet. Privédetectives maakten van sommige Lidl-werknemers uitgebreide dossiers. Den Helder installeerde in 2008 stiekem een gps op een vuilniswagen om fraude op te sporen. De rechter tikte de gemeente op de vingers. Maar soms mag het weer wel. In 2006 werden acht chauffeurs van de Rotterdamse vervoersmaatschappij RET ontslagen nadat uit heimelijk gemaakte camerabeelden bleek dat de chauffeurs een zwendel hadden met kaartjes. De rechter gaf RET gelijk.

Keyloggers

Ook zijn er minder opzichtige manieren van surveillance op de werkvloer. Martijn van Loon van SEO Websites doet bijvoorbeeld goede zaken met de verkoop van keyloggers. Dit zijn apparaatjes die tussen het toetsenbord en de computer worden geplaatst en alle toetsaanslagen registreren en opslaan. De baas kan de informatie later analyseren. Ook is er software die hetzelfde doet, maar die wordt soms opgemerkt door het antivirusprogramma. En dat is nou net niet de bedoeling. Volgens Van Loon gebruikt ongeveer een vijfde van zijn klanten een keylogger om fraude op te sporen. In zo'n 30 procent van de gevallen wil de baas zien of een werknemer niet te veel surft of mailt, want dat is slecht voor de productiviteit. In de overige gevallen (50 procent!) worden de apparaatjes gebruikt om overspelige partners te betrappen.

Naar de letter van de wet is dit verboden. Toch komen werkgevers met veel weg, zegt Maarten van Gelderen, die als partner van Van Gelderen Advocaten veel ontslagzaken behandelt.

> *Als werknemer heb je meer te dulden dan als burger. Als het Openbaar Ministerie een onwettige onderzoeksmethode gebruikt, dan betekent dat meestal einde zaak. Als blijkt dat de werknemer wel degelijk iets op zijn kerfstok heeft, zal de rechter toch vaak een omstreden onderzoeksmethode alsnog toestaan en in het voordeel van de werkgever vonnissen.*

Van Gelderen komt daarnaast steeds vaker tegen dat particuliere recherchebureaus rondneuzen in het privéleven of verleden van werknemers. Bedrijven laten sollicitanten screenen en stappen bij een vermoeden van fraude liever niet meteen naar de politie. De Vereniging van Particuliere Beveiligers vertegenwoordigt ongeveer de helft van deze bureaus, maar zegt weinig zicht te hebben op wat vooral de kleine bureautjes allemaal doen. Het College Bescherming Persoonsgegevens moet geregeld bureaus op de vingers tikken omdat ze te veel persoonlijke informatie doorspitten in hun onderzoeken.

Maar monitoring strekt zich in toenemende mate ook uit tot personeel dat gewoon zijn werk doet, zegt Stephen Baker, auteur van *The Numerati*, een boek over hoe bedrijven omgaan met informatie over klanten en werknemers. Baker onthulde dat IBM chat- en e-mailverkeer, maar ook informatie over vaardigheden, woonomstandigheden, allergieën en prestaties van zijn consultants gebruikt om zeer gedetailleerde personeelsprofielen op te stellen. Volgens IBM is het vooral de bedoeling om tot een betere inzet van mensen te komen. Na de publicatie van Baker kregen de consultants zeggenschap of ze aan het project wilden meewerken. Waar die monitoring wel een grotere rol speelt, is de software van een bedrijf waar we volgens Baker nog meer van gaan horen: KNOA. Met zijn producten kunnen managers *live* meekijken en analyseren hoe werknemers de bedrijfssoftware gebruiken en hoe productief ze zijn. Als een werknemer achterblijft of een bepaalde applicatie te weinig gebruikt, kan een manager ingrijpen met een goed gesprek, of door extra scholing aan te bieden. Maar het is een dunne lijn waar zo'n manager over loopt, waarschuwt Baker. 'Het is vooral belangrijk vanuit welke motivatie een werkgever dit soort controlemiddelen gebruikt. Die systemen leveren heel veel informatie op over de prestaties van werknemers. Probeer je daarmee een werknemer echt te helpen en zijn vaardigheden tot ontplooiing te brengen? Of gebruik je de informatie om het kaf van het koren te scheiden, de zwakkere werknemers eruit te halen om zo de productiveit te vergroten?'

Blijf op school

Dat gevaar is volgens Baker reëel. Controle en monitoring worden immers selectief toegepast.

> *Die ene superstar in je bedrijf ga je niet behandelen alsof hij aan de lopende band staat. Die laat je vrij. Bij commodity workers, die het lagere uitvoerende werk doen, zit dat anders. Zij halen het geld niet binnen. Hun productiviteit is steeds beter meetbaar. De marges op hun werk zijn zo klein, dat hun baan zo naar het buitenland verhuist. Het zijn deze werknemers die steeds meer als machines behandeld worden, hun prestaties gemeten en beoordeeld door machines. En als ze het niet waarmaken, worden ze vervangen door buitenlanders. Of machines.*

Baker lacht ongemakkelijk als hij dit zegt, om er op serieuze toon aan toe te voegen: 'Dat is wel een beetje eng. Het is een goede reden om lang op school te blijven.'

Die werknemer zelf lijkt in toenemende mate last te hebben van het steeds waakzamere oog van de baas. De London School of Economics ondervroeg tussen 1984 en 2004 tienduizenden werknemers over hun welbevinden. Een van de opmerkelijkste uitkomsten was de toegenomen ervaren stress ten gevolge van ICT *surveillance*. Vooral het witteboordenmiddenkader klaagde dat toegenomen controle, meegeluisterde telefoongesprekken en meetbaarheid van de productie tot meer angst, vermoeidheid en slapeloze nachten leidden. Organisatiepsycholoog Rendel de Jong (Universiteit Utrecht) gelooft dan ook niet dat continue controle altijd tot betere prestaties leidt.

Sommige managers vinden het ontzettend prettig om de boel in de hand te hebben. Ze hebben te maken met harde targets en die denken ze alleen te kunnen halen door alle prestaties van het personeel nauwlettend in de gaten te houden. Dat personeel raakt daar echter gedemotiveerd van. En in de praktijk blijken werknemers vanzelf creatieve manieren te zoeken om de baas weer om de tuin te leiden, of om de cijfers op te poetsen. Dat leidt tot een vicieuze cirkel, een omgeving waar mensen elkaar niet vertrouwen, een verziekte werksfeer en dat is uiteindelijk in niemands belang.

Auteur Joep Schrijvers kan zich opwinden over de monitoring op de werkvloer. In zijn boek *Het wilde vlees: de tomtomisering van de passionele mens* spreekt hij over 'de totale controle' die op de wervloer heerst.

In menig bedrijf bestaan systemen van toezicht op de omzet, tijdsbesteding, ziekte en verzuim per medewerker. Deze systemen zijn door automatisering sophisticated geworden. [...] Van medewerkers kunnen risicoprofielen worden opgesteld: hoe vaak zijn ze ziek, wanneer, hoe is de klanttevredenheid, welke e-mails versturen ze, waar bevinden ze zich en op welke sites houden ze zich vooral onledig. Het is niet moeilijk meer van medewerkers een risico- of loyaliteitsprofiel samen te stellen. Werknemers moeten leren vooral ook zichzelf te monitoren (en daarover te rapporte-

ren). Dit gebeurt met de persoonlijke ontwikkelingplannen (POP's) en de balanced scorecards. De hele 'doel'-beweging en zelfontwikkelingsbenadering in organisaties is niet veel meer dan één grote strategie om mensen zichzelf voortdurend de maat te laten nemen en te corrigeren. Testjes voor burn-out, balans en competenties zijn talrijk en vinden gretig aftrek. Wie niet op norm zit, kan zich onderwerpen aan een interventie of deze op zichzelf verrichten.

Als ik hem bel, pleit Schrijvers al snel voor 'nationale POP-verbrandingen', waarbij werknemers hun autonomie terugclaimen. In een meer serieuze toon legt hij uit dat de moderne witteboordenwerknemer van nu net zo wordt behandeld als de fabrieksarbeider van vroeger. Het is het werk van Frederick Taylor van het 'scientific management' en Henry Ford vertaald naar nu. Alles wordt gemeten en genormeerd.

Het systeem gaat het gedrag voorschrijven van de arbeider. Men ging meten wat de arbeider wel en niet kan, en bepaalde waaraan arbeiders moeten voldoen. Ford ging daarin nog een stap verder en koppelde er een beschavingsoffensief aan. Arbeiders werden in wijken ondergebracht en werd voorgeschreven hoe ze moesten leven. Hoe vaak wassen, wat eten, niet drinken. Dat werd allemaal bijgehouden. Als Ford beschikking had gehad over een E-dossier of een kinddossier, had hij dat zeker gebruikt. En er werd natuurlijk ook genormeerd; al die immigranten uit Europa waren een ratjetoe en die moesten genormaliseerd worden. Die moesten worden als Henry Ford. Dezelfde kleren, dezelfde burgerlijke waarden. De vraag is natuurlijk, was het aan Ford om die norm te bepalen? En wie bepaalt nu die norm?

Conclusie

Overleven in de informatiemaatschappij

> Human life would be unthinkable without social and personal categorization, yet today surveillance not only rationalizes but also automates the process [...]. Codes, usually processed by computers, sort out transactions, interactions, visits, calls, and other activities; they are the invisible doors that permit access to or exclude from participation in a multitude of events, experiences and processes. The resulting classifications are designed to influence and to manage populations and persons thus directly and indirectly affecting the choices and chances of data subjects. The gates and barriers that contain, channel and sort populations and persons have become virtual.
>
> *David Lyon*

De zaak K.

In de vroege zomer van 2011 zoek ik Ron Kowsoleea weer op. Ik ben benieuwd hoe het hem vergaat. Twee jaar eerder zat hij muurvast in een web van foute informatie en verkeerde classificaties. Nu gaat het beter. We drinken een kop koffie in zijn tuin. De zon schijnt, Kowsoleea is ontspannen en opgewekt. Hij troont me mee naar zijn kantoor aan huis, waar zijn laatste project klaarligt: een feitenrelaas van de laatste negentien jaar, de periode dat hij gebukt ging onder een verkeerd risicoprofiel. Het zijn drie ordners. Kowsoleea klapt een lang vel uit van zeker vier A4-tjes breed met daarop een tijdlijn. Het feitenrelaas dient als basis voor een miljoenenclaim tegen Justitie, die tot op heden weinig medewerking heeft getoond.

Kowsoleea is meer te spreken over de politie. De foute informatie is nu uit alle bestanden geschoond. Tenminste, dat hoopt hij. De afgelopen twee jaar is hij niet staande gehouden, of anderzins gehinderd. Kowsoleea is daarom weer meer gaan leven. 'Ik heb me maandenlang opgesloten in huis omdat ik het echt niet meer zag zitten. Nu ga ik weer mijn eigen gang, al ben ik nog wel voorzichtig. Op lange termijn kan er weer foute informatie boven komen drijven.' In Nederland lijkt alles in orde, maar Kowsoleea kan nog steeds niet fatsoenlijk naar Engeland en de Verenigde Staten reizen. Hij kan zijn (foute) gegevens daar niet corrigeren en de Nederlandse regering kan of wil weinig voor hem doen. Onlangs zag hij daardoor een zakendeal in de VS mislukken. 'Ik bood op een opdracht voor een Amerikaanse overheidsdienst, maar bij de antecedentencheck kwamen er weer feiten naar boven die niet van mij zijn. Dan kun je praten wat je wilt, maar zo'n deal kun je dan vergeten.' Vandaar de claim.

Ontembaar beest

Als hij terugkijkt op de afgelopen negentien jaar, ziet Kowsoleea een hoop onwil bij Justitie, maar hij heeft ook het idee dat de zaak alle betrokkenen boven het hoofd groeide. Dat is een rake constatering. De informatierevolutie lijkt een ontembaar beest, waar ook de overheid maar weinig vat op heeft. In het voorjaar van 2011 publiceerde de Wetenschappelijke Raad voor het Regeringsbeleid (WRR) het rapport iOverheid, waarin getracht werd een aantal heldere lijnen te vinden in de groeiende informatiekluwen in het Nederlands bestuur en deels in de Nederlandse samenleving. 'De alomtegenwoordige inzet van ICT door de overheid heeft ervoor gezorgd dat deze niet langer meer als een eOverheid, gericht op dienstverlening en gebruikmakend van techniek, kan worden gekarakteriseerd. In de dagelijkse praktijk is veeleer een iOverheid ontstaan, gekenmerkt door informatiestromen en -netwerken, gericht op niet alleen dienstverlening, maar ook controle en zorg,' schrijven de onderzoekers. Deze iOverheid is niet opgericht of met een handtekening van een minister begonnen. Het is een proces waarbij stapje voor stapje, besluit, na besluit een 'onbegrensde en daarmee ook grenzenloze' informatiestroom is ontstaan. Het begint bij applicaties (EKD, EPD, Verwijsindexen, etc.) die vaak op lokaal niveau starten, maar die langzaam landelijk uitwaaieren en verknoopt raken.

> *Informatieverzamelingen en koppelingen lijken nauwelijks meer in te kaderen. [...] Alhoewel de iOverheid feitelijk nog sterk in opbouw en ontwikkeling is, en begripsmatig nog nauwelijks op de radar is verschenen, heeft ze wel degelijk al reële gevolgen. Tegelijkertijd worden deze gevolgen vanwege het gebrekkige 'bewustzijn' van de karakteristieken van de iOverheid nauwelijks in de beleidsontwikkeling betrokken en ontbreekt het aan een goed politiek-bestuurlijk besef van wat zich ontwikkelt, laat staan van een besef hoe die ontwikkelingen in goede banen zijn te leiden.*

Een weinig geruststellend geluid. De informatierevolutie is als een storm die een pad van verwoesting trekt door de samenleving. Tradities raken ontworteld en sterven af. Oude wegen worden afgesneden, barrières duiken op, nieuwe doorgangen en grillige paden ontstaan. Ons landschap verandert zo snel dat we nauwelijks de tijd hebben om de nieuwe omgeving in ons op te nemen, laat staan ons goed te oriënteren. Het is niet verwonderlijk dat veel mensen beschutting zoeken. In dit laatste hoofdstuk wil ik het nieuwe landschap schetsen, laten zien wat er is veranderd. Op het eerste gezicht ziet het er, net als na een storm, niet fraai uit. Maar een storm biedt ook mogelijkheden, nieuwe kansen, nieuwe tradities en nieuwe werkwijzen. Het omgewoelde landschap geeft ook mogelijkheden om onze omgeving anders in te richten. Meten = weten = voorspellen = beheersen, schreef ik in de inleiding al. De belangrijkste vraag is of alle componenten van deze informatiemantra logischer, helderder en ook eerlijker kunnen plaatsvinden.

Meten = Weten = Voorspellen = Beheersen

De informatiestorm heeft er in ieder geval voor gezorgd dat er maar weinig plekken overblijven om je te verbergen. Volgens socioloog David Lyon heeft surveillance zich uitgesmeerd over ons leven. De geautomatiseerde surveillance is niet alleen mobiel en mondiaal van karakter, maar ook fijnmazig en genetwerkt. Dat betekent dat je niet alleen op een vaste locatie en binnen de grenzen van een land wordt waargenomen, maar ook onderweg en buiten de landsgrenzen. Daarnaast wordt ook op klein niveau alles gezien – wat je achter je computer doet of in gezinsverband, wat je koopt, met wie je praat, wat er in je lichaam gebeurt, hoe je leeft. Over de echte wereld ligt een digitale lappendeken van verschillende surveillanceregimes die elkaar overlappen, contact met elkaar maken en gegevens uitwisselen.

Dit levert een klassiek privacyprobleem op. Wat als je niet gezien wilt worden? Heb je nog recht om je te onttrekken aan het wakend oog? Het huidige privacydebat gaat grotendeels over dit probleem. Het lastige is dat dit debat over abstracte en relatieve waarden gaat: waardigheid, rechtvaardigheid en autonomie. De waardigheid van een burger die zelf wil bepalen wat andere mensen over hem weten. De rechtvaardigheid dat je in het publieke leven beoordeeld op belangwekkende feiten, die in de juiste context worden bezien. En de autonomie van een burger die als volwassene aangesproken wil worden en zich niet door een bemoeizuchtige overheid wil laten betuttelen.

Het valt me op dat een harde kern van privacyvoorvechters deze waarden absoluut veronderstelt. Dat leidt tot een groot wantrouwen tegen de overheid, bedrijven en techniek. Nieuwe toepassingen worden al snel vergezeld met een verzuchtend commentaar over Big Brother. Nu zijn er genoeg redenen om overheden en bedrijven te wantrouwen, maar niet vanwege hun Big Brother-aspiraties: vooral de overheid lijkt maar weinig grip te hebben op zijn informatiestromen. En ook techniek is niet de grote boosdoener. Het is niet meer dan logisch dat we techniek met ons dagelijks leven verweven – techniek zit in onze natuur, of ís misschien zelfs onze natuur. Door sommige technieken zo categorisch af te wijzen, gooien deze critici het kind met het badwater weg. Het gebruik van persoonsgegevens is een voorwaarde voor het moderne leven en het gebruik van surveillancetechniek is daarvoor noodzakelijk. Het gaat erom hoe je die techniek inricht en wat je met de persoonsgegevens doet. Een technofobe instelling brengt ons en de discussie weinig verder.

Dat gezegd hebbende is er wel degelijk een aantal problemen met de huidige surveillancepraktijken. Ten eerste is het niet altijd nodig en zijn er betere alternatieven voorhanden. Het is ontegenzeggelijk een reflex van onze overgevoelige samenleving om bij maatschappelijke problemen te grijpen naar het instrument van dataverzameling. Als er maar meer gegevens zijn, dan kan probleem x of y wel opgelost worden. Kindermishandeling kun je voorkomen door alle gezinnen lange vragenlijsten af te nemen. Vandalisme en geweld kun je voorkomen door de openbare ruimte vol te hangen met camera's. Zorgkosten kunnen dalen door te sturen op patiëntinformatie. Het lijkt logisch, maar de praktijk is een stuk weerbarstiger. Instanties verzuipen in informatie. Het blijkt lastig om die grote hoeveelheden digitale informatie goed te beveiligen tegen diefstal of verlies, terwijl een groot deel van die informatie helemaal niet nodig is. En met informatie alleen is een probleem nog niet opgelost. EKD en Verwijsindex ten spijt, er worden niet minder kinderen mishandeld. Cameratoezicht heeft zelden een aanwijsbaar effect op de veiligheid. De zorgkosten dalen niet, ondanks dat alle ziekte- en behandelingsinformatie in een DBC staan genoteerd. Ondertussen zijn deze surveillancepraktijken niet goedkoop en je kunt je afvragen of het geld niet beter besteed is met wat meer persoonlijke aandacht op het consultatiebureau, van de politie of aan het bed van de patiënt.

Dan kom ik op het tweede bezwaar van uitgebreide 'surveillanceassemblages'. Surveillance vergroot de afstand tussen burger en overheid, consument en bedrijf. Wie niet in de voorgeschreven mallen, protocollen, werkprocessen en instructies past, heeft een probleem. Word je niet herkend door een toegangspoort, dan gaat hij niet open. Je moet dan via een intercom met een beveiliger in een meldkamer kilometers verderop er maar uit zien te komen. Maken camera's de publieke ruimte echt veiliger? Wordt de leefbaarheid van wijken vergroot door bewakers die op afstand meekijken, of door mensen van vlees en bloed die een oogje in het zeil houden?

Hoeveel vertel je aan de verpleegkundige op het consultatiebureau als alles wordt opgeschreven en later misschien weer op onaangename wijze terugkomt? Op korte termijn lijkt surveillance efficiënt, maar op de lange termijn is een te grote nadruk erop vaak contraproductief. Het maakt de samenleving er niet warmer op.

Tot slot vind ik het zorgwekkend dat surveillance steeds meer naar de achtergrond verschuift, letterlijk soms. Vaak hebben we helemaal niet door dat we onder toezicht staan. Doordat techniek ons steeds meer omringt, in onze omgeving is verweven, is het ook steeds minder duidelijk waar en wanneer onze digitale schaduw gevoed wordt met nieuwe informatie. Ik ben erg gesteld op mijn smartphone, maar heb geen flauw idee hoeveel data worden onderschept door de telefoonmaatschappij (en in het verlengde daarvan de opsporings- en veiligheidsdiensten), bedrijven en app-aanbieders. Op het moment dat ik dit schrijf, is er een rel over het softwareprogramma CarrierIQ. Dat is op veel smartphones geïnstalleerd, houdt alle toetsaanslagen bij en verzendt die informatie naar de telecombedrijven. Je denkt een slimme telefoon te hebben, maar die blijkt ook een zeer effectief surveillanceapparaat te zijn. Of neem het voorbeeld van @MIGO-Boras, de kentekenherkenning aan de Nederlandse grenzen. Je denkt vrijelijk over de grens te zoeven, maar in feite vindt er een honderdprocentscontrole plaats.

Wie surveilleert moet dat duidelijk aangeven, zo schrijft de Wet Bescherming Persoonsgegevens voor. In de praktijk gebeurt dat vaak niet, of is de uitleg over wat verzameld wordt, diep weggestopt in algemene voorwaarden en juridische taal. Al jaren woedt er een strijd tussen bedrijven en de Nederlandse en Europese autoriteiten om consumenten actief toestemming te laten geven voor het verwerken van persoonsinformatie en het gebruiken van surveillancesoftware zoals cookies. Dat is een stap in de goede richting, maar de overheid zelf kan ook nog een hoop verbeteren. Ik heb voor het onderzoek van dit boek al vaak naar de Wet Openbaarheid van Bestuur moeten grijpen omdat ik informatie over surveillancetechnologie niet kreeg. En als ik informatie kreeg, dan was vaak een flink deel zwartgestreept. De overheid heeft blijkbaar ook wat te verbergen.

Meten = WETEN = Voorspellen = Beheersen

Door al dat surveilleren heeft iedereen er een digitale tweelingbroer of -zus bij gekregen: een digitale schaduw. Dit is de representatie van jou, die continu gevoed wordt met nieuwe informatie en telkens op verschillende wijzen gereconstrueerd wordt vanuit verschillende databanken. Hoeveel databanken er zijn, weten we niet. In hoeveel je er staat, is niet na te gaan. In sommige databanken sta je maar met een paar gegevens: een naam, een IP-adres, een vingerafdruk. In andere databanken is een omvangrijke digitale schaduw opgeslagen met allerlei gevoelige gegevens over ziekte en gezondheid, leefstijl, reis-, bel-, surf- en koopgedrag. Overheidsdiensten wisselen meer en meer gegevens uit. Steeds meer partijen kunnen meekijken in elektronische dossiers. Verwijsindexen knopen informatie aan elkaar. Nieuwe sleutels, zoals het Burger Service Nummer (BSN), maken het makkelijker uit verschillende databanken informatie te ontsluiten en bij elkaar te brengen zodat een rijker beeld ontstaat. Ook bedrijven hebben een groeiende hoeveelheid data tot hun beschikking. *Big data* is *big business.*

In dit boek is gebleken dat er flink wat mis is met de betrouwbaarheid van data. De inspanningen van overheden en bedrijven was lange tijd vooral gericht op het binnenslepen van zo veel mogelijk informatie. Maar veel is niet beter. Miscommunicatie, verouderde data, fouten in koppelingen, fouten in de bewerking, opzettelijk verkeerde informatie, diefstal en fraude, en taal- en vertaalproblemen ondermijnen de betrouwbaarheid van de informatie. Zelfs in hele basale databanken, zoals de Gemeentelijke Basis Administratie, wemelt het van de fouten. Dat betekent dat de kans groot is dat jouw digitale schaduw geen goede afspiegeling is van wie je bent. Waarschijnlijk zijn het vaak kleine afwijkingen, maar het kan goed zijn dat in sommige databanken je schaduw de gedaante van een monster heeft aangenomen. Zonder dat je het weet. Bedrijven en overheidsinstellingen zijn weliswaar verplicht om zorgvuldig met persoonsgegevens om te springen en ze op verzoek te corrigeren, maar zijn niet verplicht om uit zichzelf en vooraf zorg te dragen voor correcte informatie. En zijn ook niet echt geneigd om dat te doen, want dat kost een hoop tijd en geld.

De burger heeft het recht om alle informatie in te zien die overheden en bedrijven over hen bewaren. Op papier kun je je digitale schaduw dus goed bewaken. De praktijk is weerbarstiger. Denk maar aan het voorbeeld van onderzoeker Jaap-Henk Hoepman van de Radboud Universiteit in hoofdstuk 9: maar twee van alle aangeschreven telecombedrijven, overheidsinstellingen, supermarkten, webwinkels en vervoersbedrijven gaven correcte inzage in de verzamelde gegevens. Het feit dat je recht hebt om informatie in te zien, betekent nog niet dat je daar altijd gebruik van kunt maken.

Dit inzagerecht wordt steeds belangrijker, omdat de digitale schaduw steeds meer historische gegevens bevat. Het probleem van digitale verwerking is dat er nauwelijks nog informatie hoeft te worden weggegooid. Databanken hebben een ijzeren geheugen. Gek genoeg is daar maar weinig debat over in Nederland. Tot hoever terug is informatie relevant? Hoelang kan een jeugdzonde je digitale schaduw vervormen? Moet die ene foto op Facebook jarenlang blijven opduiken? Moet het consultatiebureau van de ouders weten dat ze in hun jeugd mishandeld zijn? Veel databanken geven op dit moment weinig ruimte tot verandering en nuance van persoonlijke omstandigheden. De data veronderstellen vaak een determinisme dat er niet is. Wel is er onlangs op Europees niveau een opmerkelijke stap in de goede richting gezet. Burgers krijgen het recht om vergeten te worden en kunnen volgens deze plannen overheidsdiensten en bedrijven dwingen om verouderde data te vernietigen. Ik verwacht overigens dat dit niet zonder slag of stoot ingevoerd zal worden. Zeker vanuit de veiligheidssector en de jeugdgezondheidszorg zal er veel weerstand tegen bestaan – wie weet wat voor risico's er dan gemist worden.

Het digitale geheugen raakt niet alleen verward omdat er te veel informatie te lang wordt opgeslagen, maar ook omdat informatie over netwerken reist en zo dus uit de oorspronkelijke context wordt getild. De WRR ziet hierin een groot gevaar ontstaan. Niemand voelt zich meer 'hoeder van het geheel.' 'Het resultaat is dat informatie vervuilt, onduidelijk is wie verantwoordelijk is voor informatiestromen en dat burgers, bedrijven en ook instanties binnen de overheid zelf, verstrikt raken in de datakluwen van de overheid,' aldus de raad, die verder constateert dat er te veel aandacht uitgaat naar individuele applicaties, maar niet hoe die verknoopt raken. Door die 'gedistribueerde verantwoordelijkheid' is het voor de gedupeerde burger vaak helemaal niet duidelijk waar hij zich kan melden als er iets misgaat. Kowsoleea werd telkens van het kastje naar de muur gestuurd. Het probleem lag bij alle politiekorpsen, maar door de decentrale organisatie waren eigenlijk het ministerie van Binnenlandse Zaken en dat van Justitie verantwoordelijk, maar zij verwezen de zaak weer terug naar de korpsen. De WRR pleit in haar advies voor het oprichten van een informatietoezichthouder die onder meer burgers kan bijstaan in het verhelpen van problemen door uitdrukkelijk boven alle partijen te staan: een combinatie van het College Bescherming Persoonsgegevens en de Nationale Ombudsman. Het kabinet-Rutte heeft de aanbeveling beleefd naast zich neergelegd.

Een grote fout volgens mij. De verantwoordelijkheid voor een deugdelijke bewerking ligt nu eenmaal bij de verwerker van persoonsgegevens. Nu steeds meer instellingen zich in ketens organiseren, zich rondom een 'probleem(persoon)' groeperen, moet wel duidelijk zijn wie de verantwoordelijkheid op zich neemt als er fouten worden gemaakt. Zeker omdat de verwerking van persoonsgegevens een apart verschijnsel oproept: het draait de bewijslast vaak om. Dat werkt zo. Instantie x wil een besluit nemen over burger y en gaat daarbij af op de beschikbare informatie. Als het besluit niet klopt, omdat de informatie niet klopt, is het aan burger y om dat te bewijzen. Er kan iets zijn misgegaan in de procedure, maar ook in de informatie die ten grondslag ligt aan het besluit. Maar waar die informatie vandaan komt, wie er een fout heeft gemaakt, dat is voor een burger nauwelijks uit te pluizen. Als je al netjes een overzicht krijgt van welke informatie ten grondslag ligt aan een besluit, zal daar meestal niet bijstaan waar die informatie precies vandaan komt. Burger y kan een gang naar de bestuursrechter maken, maar die kijkt doorgaans alleen of instantie x de *procedure* juist heeft gevolgd. Dan rest hem weinig anders dan alle mogelijk betrokken instanties af te gaan: een behoorlijk kafkaëske excercitie.

Meten = weten = VOORSPELLEN = Beheersen

Die onduidelijkheid over de informationele grondslag van een besluit wordt vergroot als er profilering in het spel is. Bij profilering wordt immers een voorspelling gedaan op basis van informatie van nu en het verleden. Een algoritme doorzoekt de data volgens vaste regels, of vindt onvermoede verbanden en gaat daarmee vervolgens aan de slag. De uitkomst van profilering is dat 'datasubjecten' in categoriën worden geplaatst. Is er eenmaal een besluit genomen, dan is het lastig om die stapsgewijs terug te redeneren. Als de ABN AMRO mij afwijst voor een lening dan ligt dat waarschijnlijk aan een slechte score, een slecht profiel (ervan uitgaande dat ik genoeg inkomen heb en een keurig betaalverleden). De bank kan aan zijn verplichting voldoen en mijn gegevens overleggen. Ze zal echter niet kunnen of willen vertellen welke bewerkingen ze op mijn gegevens heeft uitgevoerd, als ik er al iets van begrijp. Profilering trekt dus een wiskundige muur op die het zicht blokkeert.

Naarmate steeds meer beslissingen worden genomen op basis van profilering, zullen bedrijven en overheden echter wel dat inzicht moeten geven. En dat kan ook. In academische kringen hoor je hier al interessante ideeën over. Zo zou de overheid bijvoorbeeld een onafhankelijke informatiecommissaris in het leven kunnen roepen die wel inzicht krijgt in hoe algoritmen werken en of ze eerlijk zijn. Zo'n commissaris zou een bemiddelende rol kunnen spelen bij conflicten, of zou een keurmerk kunnen afgeven aan niet-discriminatoire algoritmen. Aan de universiteiten van Eindhoven en Leiden wordt op dit moment bijvoorbeeld onderzoek gedaan naar *discrimination aware datamining*, dus hoe je zo eerlijk mogelijk kan profileren. De kennis is derhalve in opbouw.

Maar er is nog een belangrijker reden om meer openheid te krijgen over de regels waarmee profileringssystemen werken. Die regels zijn namelijk door en door politiek. In hoofdstuk 5 zagen we bijvoorbeeld dat de risicofactoren waar het Elektronisch Kinddossier mee werkt, helemaal niet gestaafd zijn met keihard Nederlands wetenschappelijk onderzoek. Is de regel 'een werkloze vader is eerder geneigd zijn kinderen te slaan' een technische constatering of is het een politieke? Is de regel 'passagiers die halal eten bestellen, moeten gecontroleerd worden' een uitspraak die we aan een paar programmeurs kunnen overlaten, of moet daar een maatschappelijk debat of juridische toets aan ten grondslag liggen? Als je deze categorieën daadwerkelijk inzet voor besluitvorming dan is er wel degelijk een politieke vraag. Misschien kloppen de constateringen wel en is er een causaal verband tussen armoede en mishandeling, halal eten en vliegtuigen opblazen, maar dan moeten we de toepassing van zo'n regel nog wel in overeenstemming zien te brengen met het non-discriminatiebeginsel. In tegenstelling tot wat veel politici beweren, is techniek niet neutraal. Hoe je een systeem inricht, bepaalt wat eruit komt. De Amerikaanse jurist Lawrence Lessig spreekt daarom van '*code is law*'. Regels bestaan niet alleen in wetboeken, maar ook daarbuiten. Ze worden bijvoorbeeld vastgelegd in architectuur. Als je ergens niet met de auto mag komen, kun je een bord neerzetten, maar ook de publieke ruimte zo inrichten dat het onmogelijk wordt om een straat in te rijden met je auto. Dat geldt ook voor het digitale domein. In databases kun je regels vaststellen hoe informatie van mensen wordt behandeld. Als door een regel in dat proces alle allochtone inwoners van een wijk in een aparte categorie worden ondergebracht, dan moet je mogelijk die regel aanpassen. Die regels zijn politiek. Er moeten belangen worden afgewogen.

Dat kun je niet zomaar aan een techneut overlaten of delegeren aan een ambtelijke werkgroep.

Ik heb vaak de indruk dat veel politici en beleidsmedewerkers (en ook veel media) eigenlijk niet zo goed doorhebben wat profilering nu precies is. Men verwacht er veel van, maar is zich niet bewust van de zwakten ervan. Uiteindelijk blijft het kansberekening en statistiek. De kansen worden echter vergroot en verkleind door de regels die gehanteerd worden, de kwaliteit van de data en de context waarin dataverzameling plaatsvindt. En statistiek is verraderlijk. Jonge ouders kijken vaak angstvallig of hun kind nog wel op alle ontwikkelingscurves zitten. Maar die curve representeert niet een bestaand kind, maar het abstracte gemiddelde van alle kinderen in een meetpopulatie. De neiging is er om afwijkingen van de curve te voorkomen of te verhelpen. Maar die curve heeft zijn vorm, juist door die afwijkingen en de *outliers*. Met andere woorden: die curve representeert ook maar een momentopname, een getal. Blinde profilering, waarbij geen mens meer aan te pas komt, is daarom vragen om problemen. Je moet dan wel verdomd zeker zijn van de kwaliteit van het proces en de data. In de praktijk zal er altijd gekeken moeten worden of de uitkomsten van het profileren wel in overeenstemming zijn met de praktijk. Kloppen de voorspellingen? Gezond verstand blijft hard nodig.

De inzet is niet gering. Doordat mensen wel beoordeeld worden op hun digitale schaduw, heeft het profileren echte gevolgen voor hun levenskansen. Jammer genoeg is er nauwelijks empirisch en kwantitatief onderzoek gedaan naar de gevolgen van informatieverwerking op kansen op de arbeidsmarkt, sociale en fysieke mobiliteit, toegang tot overheids- en bedrijfsdiensten. We kunnen daar echter niet op wachten. Terwijl de informatiestorm woedt, zullen we ook onszelf moeten wapenen tegen de ontwrichtende wind. Dat kan op drie manieren: meer transparantie afdwingen, controle terugnemen over jouw informatie en jouw verwachtingen bijstellen.

Het vergroten van transparantie heb ik hier al in wat meer abstracte termen beschreven. Je kunt ook veel zelf doen. Er zijn veel *tools* die jouw online gedrag afschermen. Je kunt kritisch doorvragen wanneer je naar persoonlijke gegevens gevraagd wordt. Wat gebeurt ermee? Wie hebben toegang tot deze gegevens? Je kunt sporadisch inzage vragen bij instanties. Wat is er van mij bekend? Belangrijk is dat je een informatiemanager wordt die zich er in ieder geval van bewust is dat persoonsgegevens niet alleen worden geregistreerd, maar ook continu worden gebruikt, vaak voor nogal speculatieve doeleinden. Vraag door, wees kritisch en ja, wees maar een zeurkous. Het gaat om je eigen belangen.

Het is namelijk belangrijk dat we de controle terugkrijgen over onze informatie. Nu werkt het vaak zo dat je je informatie afgeeft en de verwerkende partij er eigenlijk van alles mee kan doen zonder ook maar één keer bij je terug te komen. Alles wat je aan het consultatiebureau vertelt, staat in een dossier dat voor velen is in te zien. Dat is eigenlijk best wel gek. Waarom geen constructie waarbij je enkele hulpverleners toestemming geeft om in het dossier te kijken. Als er anderen zijn, dan zullen ze zich bij jou moeten vervoegen voor toestemming. Als je die niet geeft en er bestaat een verdenking tegen jou, dan is er voor de verzoekende partij de gang naar de rechter – en niet andersom. Zo'n constructie geeft veel controle terug aan de burger.

De grootste stap die we moeten maken, is ook de moeilijkste. We moeten nu eens afrekenen met het maakbaarheidsideaal, of het in ieder geval tot de juiste proporties terugdringen. En dat vereist collectieve en persoonlijke moed.

Meten = Weten = Voorspellen = BEHEERSEN

De onderliggende veronderstelling van al dat meten, weten en voorspellen is dat we de werkelijkheid kunnen veranderen, dat we het leven van mensen kunnen sturen voordat er schade is aangericht of verlies is geleden, dat het leven maakbaar is. Het gekke is dat over die maakbaarheid vaak wat lacherig wordt gedaan. Maakbaarheid wordt gezien als een raar overblijfsel van de softe jaren zeventig van de vorige eeuw, zoiets als de broeken met wijde pijpen die maar terug blijven komen. Samenlevingen laten zich niet maken, klonk het tijdens de neoliberale *backlash* in de jaren tachtig en negentig. De retoriek kan echter niet verhullen dat de maakbaarheidsgedachte springlevend is gebleven, al duikt ze thans in een andere, diffusere gedaante weer op.

Ten eerste is het instrumentarium van de maakbaarheid veranderd. Ik kan het niet beter verwoorden dan cultuurfilosoof René Boomkens dat heeft gedaan in zijn boek *De Nieuwe Wanorde: globalisering en het einde van de maakbare samenleving.*

> *Al decennialang is de overheid aan het 'dereguleren', 'privatiseren' en 'liberaliseren', maar geconfronteerd met de verontrustende toename van onveiligheidsgevoelens onder de bevolking en met de groter wordende onrust rond integratie, moslimfundamentalisme en criminaliteit onder tweedegeneratiemigrantenjongeren ontpoppen de overheid en de politiek zich plotseling als kampioenen van de maakbare samenleving. Dat is echter geen maakbaarheid die, zoals in de jaren zestig en zeventig, in het teken staat van emancipatie, vooruitgang en solidariteit, maar een die in het teken staat van surveillance, controle, misdaad- en*

terreurpreventie, bewaking, zero tolerance, spreidingsbeleid, inperking van privacy, kortweg: van het herstel van een autoritaire, gesloten samenleving.

Ik wil hier nog een tweede punt aan toevoegen, dat hopelijk uit de loop van dit boek is gebleken. Door een stormachtige technologische innovatie en een al even ingrijpende beleidsvernieuwing is de reikwijdte van de maakbaarheid uitgesmeerd. Ze richt zich niet meer alleen op de samenleving als geheel en de vermeende achtergestelde groepen in het bijzonder. Het individu is zelf object geworden van deze maakbaarheid. Het zijn jij en ik, tante Truus, Bob de slager, Ahmet de buurman, collega Stef, demente grootvader, Gordon, huisarts Mulder, Ome Kees de zwerver, het buurmeisje Yasmine, premier Rutte, mijn neefje en nichtje uit Friesland, zakenman Kowsoleea, al die 16,7 miljoen Nederlandse individuen waaraan gewerkt, geschaafd, gekneed moet worden. De vraag is of dat kan. Laten mensen zich wel zo kneden? En is dat gewenst?

Als het al kan, dan duurt het nog heel lang. Ja, er is veel informatie en ja, profilering draagt een belofte in zich, maar het menselijk leven is uitermate gecompliceerd. Een normale dag, waarin weinig bijzonders gebeurt, wordt al gestuurd en beïnvloedt door zoveel variabelen, dat je daar zelfs met de beste software weinig zinnigs over kunt zeggen. Vanuit de chaostheorie weten we dat ook de schijnbaar meest stabiele systemen langzaam in chaos ontaarden. Je kunt in complexe systemen maar beperkt vooruit kijken, laat staan betrouwbare langetermijnvoorspellingen maken. Vanuit de Normal Accident Theory weten we dat in zeer complexe systemen – en het dagelijks leven lijkt mij een zeer complex systeem – onvermijdelijke fouten en ongelukken ontstaan. Honderd procent veiligheid en honderd procent voorspelbaarheid bestaan niet, zeggen ook politici. Maar ondertussen doen we wel net alsof en is één ongeluk vaak genoeg om complete volgsystemen, elektronische dossiers, profileringssytemen et cetera uit de grond te stampen. Dat is niet alleen een verwijt aan politici of ambtenaren, maar ook aan onszelf. Wij zijn het immers die op hoge toon maatregelen eisen. Wij zijn het die pech en ongeluk willen afwentelen op het collectief, of andere individuen.

We zullen moeten accepteren dat een zekere mate van pech bij het leven hoort, dat ongelukken in een klein hoekje zitten en het leven onvoorspelbaar en soms gevaarlijk is. Dat betekent niet dat we bij de pakken neer moeten zitten, maar wel dat we met enige bescheidenheid en moed door het leven moeten gaan. Een mens meer is dan een verzameling statistieken en risicofactoren, meer dan een object van goedbedoeld beleid en zorgzame interventies, meer dan een profiel, categorie, winstkans of kostenpost. Het leven laat zich niet in deterministische mallen klemmen. Maar het vereist persoonlijke en professionele moed om je niet naar die klemmende mallen te schikken en over je eigen schaduw te stappen.

Verantwoording

De citaten aan het begin van de hoofdstukken zijn:

Hoofdstuk 1, 7 en Conclusie: afkomstig uit David Lyon, *Surveillance Studies* (New York, 2007).

Hoofdstuk 2: overgenomen van *TechCrunch* van d.d. 4 augustus 2010.

Hoofdstuk 4: overgenomen uit Hans Boutellier, *De veiligheidsutopie* (Den Haag, 2005).

Hoofdstuk 5: afkomstig van het actieprogramma *Ieder kind wint* van de gemeente Rotterdam.

Hoofdstuk 6: afkomstig uit *Trouw* van 5 december 2009.

Hoofdstuk 8: afkomstig uit de Memorie van Toelichting en regeling in de sociale zekerheid van de rechtsgevolgen van het niet aantonen van de leefsituatie na het aanbod van een huisbezoek.

Hoofdstuk 10: afkomstig van de pagina over The Principles of Scientific Management op Wikipedia.

Dankwoord

In de eerste plaats wil ik alle mensen bedanken die hun kennis met mij hebben gedeeld. Niet alle interviews zijn uitgewerkt en niet iedereen is in dit boek genoemd. Zonder al deze interviews en de onbaatzuchtige medewerking van de volgende personen, was dit boek niet mogelijk geweest: Alexander Filius, André Hoogstrate, Anke van Gorp, Anton Vedder, Bart Custers, Bart Walhout, Bert-Jaap Koops, Carolien Prins, Cecilia Verkleij, Cees Schaap, Charlotte van Ooijen, Dennis Broeders, Edwin Bakker, Eric Schreuders, Ernst Radius, Ferko Öry, Frank 't Hart, Frits Neigh van Lier, Gert Wabeke, Gijs de Vries, Hans Boutellier, Hans Brand, Hans van de Sande, Ilyaz Nasrullah, Jaap van Ginneken, Jaap-Henk Hoepman, Jacob Kohnstamm, Jan Gerrit Schuurman, Jan Ramaekers, Jan Berkvens, Jan Willem Beaujean, Jelle van Buuren, Jeroen van Rest, Joep Schrijvers, Joke Droste, Jonathan Faull, Josianne Janssen, Pascalle Jamin, Kaspar Mengelberg, Lucie Goris, Lynsey Dubbeld, Maarten van Gelder, Martijn van Loon, Marc Schuilenburg, Max Snijder, Maurits Berger, Michiel Pestman, mevrouw Willems, Paul Koot, Paul Smit, Peter Hustinx, Peter Michael, Piet Bleeker, Piet van Geel, Rendel de Jong, Rob Boeyink, Ron Kowsoleea, Ron Scholte, Ronald

Leenes, Sander van der Blonk, Simon Hania, Sophie in 't Veld, Stephen Baker, Thom Hoedeman, Ton Monasso, Wike Lijs, Wil Wurtz, Wynand van der Ven, Ybo Buruma.

In het bijzonder wil ik mijn kritische meelezers en -denkers bedanken: Bart de Koning, Joep Dohmen, Simone van der Hof, Martijn ten Bloemendal en Meike Grol.

Ik wil het Fonds Bijzondere Journalistieke Projecten bedanken voor de onderzoekssubsidie, die een goede start mogelijk heeft gemaakt.

Tot slot wil ik Nienke bedanken voor het geloof in dit lange en zware project en de vele aanmoedigingen en wijze raad.

Aanbevolen literatuur

Ayres, Ian, *Supercrunchers* (New York, 2007)

Baker, Stephen, *The numerati* (New York, 2008)

Barabási, Albert-László, *Linked* (Cambridge, 2003)

Bauman, Zygmunt, *Liquid Times: living in an age of uncertainty* (Cambridge, 2007)

Berg, Marguerite van den, Corien Prins en Marcel Ham, *In de greep van de technologie* (Amsterdam, 2008)

Böhler, Britta, *Crisis in de rechtstaat* (Amsterdam, 2004)

Boomkens, René, *De nieuwe wanorde. Globalisering en het einde van de maakbare samenleving* (Amsterdam, 2006)

Boutellier, Hans, *De veiligheidsutopie* (Den Haag, 2005)

Broerders, Dennis, *Breaking down anonimity: digital surveillance on irregular migrants in Germany and the Netherlands* (Leiden, 2009)

Buruma, Ybo, *De dreigingsspiraal. Onbedoelde neveneffecten van misdaadbestrijding* (Den Haag, 2005)

Custers, Bart, *The power of knowledge. Ethical, legal and technological aspacts of data mining and group profilering in epidemiology* (Tilburg, 2004)

Dijstelbloem, Huub, Albert Meijer (red.), *De migratiemachine: de rol van technologie in het migratiebeleid* (Amsterdam, 2008)

Drayer, Elma (red.), *Leven in de risicosamenleving* (Amsterdam 2005)

Duyvendank, Jan Willem, Ewald Engelen, Ido de Haan, *Het bange Nederland: pleidooi voor een open samenleving* (Amsterdam, 2008)

Foucault, Michel, *Discipline and punish. The birth of the prison* (Parijs, 1975)

Frissen, Paul, *De staat van verschil* (Amsterdam, 2007)

Gandy jr., Oscar H., *Engaging rational discrimination* (Annenberg, 2008)

Garland, David, *The culture of control* (New York, 2001)

Gleick, James, *The information: a history, a theory a flood* (New York, 2011)

Hildebrandt, Mireille, Serge Gutwirth (eds.), *Profiling the European Citizen: cross-disciplinary perspectives* (Brussel, 2008)

Hof, Christian van 't, *FID & identity management in everyday life* (Den Haag, 2007)

Jansen & Janssen, *Onder druk. Terrorismebestrijding in Nederland* (Amsterdam, 2006)

Jansen & Janssen, *De snuffelstaat: Nederland en de BVD* (Amsterdam, 2002)

Koning, Bart de *Alles onder controle: de overheid houdt u in de gaten* (Amsterdam, 2008)

Koops, Bert-Jaap, *Tendensen in opsporing en technologie* (Tilburg, 2006)

Lessig, Lawrence, *Code 2.0* (Cambridge, 2006)

Lyon, David (red.), *Surveillance as social sorting: privacy, risk, and digital discrimination* (New York, 2003)

Lyon, David, *Surveillance Studies: an overview* (New York, 2007)

Mlodinow, Leonard, *The drunkard's walk. How randomness rules our lives* (New York, 2008)

Mozorov, Yevgeny, *The net delusion: the dark side of internet freedom* (New York, 2011)
National Research Council of the National Academies, *Protecting individual privacy in the struggle against terrorists: a framework for Program Assessment* (Washington, 2008)
Packard, Vance, *The naked society* (New York, 1964)
Pariser, Eli, *The filter bubble: what the internet is hiding from you* (New York, 2011)
Pessers, Dorien, *Regels zijn regels. Over de daadkracht van Rita Verdonk* (Amsterdam, 2006)
Pol, Wim van de, *Onder de tap. Afluisteren in Nederland* (Amsterdam, 2006)
Projectgroep Visie op de politiefunctie, Raad van Hoofdcommissarissen, *Politie in ontwikkeling* (Den Haag, 2005)
Rathenau Instituut, *Van privacyparadijs tot controlestaat: misdaad- en terreurbestrijding in Nederland aan het begin van de 21ste eeuw* (Den Haag, 2007)
Rathenau Instituut, *Ambient intelligence. Toekomst van de zorg of zorg van de toekomst?* (Den Haag, 2007)
Rathenau Instituut, *Check in/check uit: de digitalisering van de openbare ruimte* (Den Haag, 2010)
Schans, Wil van der, en Jelle van Buuren, *Keizer in lompen. Politiesamenwerking in Europa* (Breda, 2003)
Schneier, Bruce, *Beyond fear. Thinking sensibly about security in an uncertain world* (New York, 2003)
Schrijvers, Joep, *Het wilde vlees. De tomtomisering van de passionele mens* (Amsterdam, 2007)
Solove, Daniel, *Understanding privacy* (Boston, 2008)
Solove, Daniel, *The future of reputation. Gossip, rumor and privacy on the internet* (Washington, 2007)
Wacquant, Loïc, *Punishing the poor: the neoliberal government of social insecurity* (Londen, 2009)

Webb, Maureen, *Illusions of security. Global surveillance and democracy in the post-9/11 world* (San Francisco, 2007)
Wetenschappelijke Raad voor het Regeringsbeleid, *iOverheid* (Amsterdam, 2011)